D1296249

La Isla contada
El cuento contemporáneo en Cuba

Para Jim de sus
amigos españoles
Mari Vi y Eduardo

VALENCIA 10-6-96

La Isla contada
El cuento contemporáneo en Cuba

Francisco López Sacha (compilador)

Ilustración de cubierta: Óleo de Pedro Álvarez, 1994
Cedida la autorización para su reproducción por Santi
Eraso

© 1996 Edición en lengua castellana
TERCERA PRENSA-HIRUGARREN PRENTSA S.L.
Peña y Goñi 13-1º
20002 Donostia
Tfno: (9)43 / 28 34 56
Fax: (9)43 / 32 17 81

ISBN: 84-87303-32-3
Depósito Legal: NA. 74-1996

Imprime: Graf. Lizarra Carretera de Tafalla, Km1, Estella-Lizarra.

Índice

Cuba vive

M. Vázquez Montalbán

Después de leer el estudio de López Sacha introductor de esta compilación del cuento contemporáneo cubano, descubro que mi papel no puede ser otro que el de escritor español solidario y gozador de los logros de una Literatura que se ha visto obligada a ser algo más que una Literatura. La especial significación de la Revolución Cubana ha condicionado con toda clase de pretextualidades el trabajo de los escritores de Cuba. Hubo una época que escribir desde Cuba asumiendo la Revolución o fuera de Cuba a la contra, marcaba un valor añadido o su contrario a la hora de establecer una lectura apriorística. Después los buenos escritores eran los que se exilaban y los malos los que se quedaban. Ahora tal vez hayamos descubierto entre todos que no es posible simplificar tan burdamente y que la buena o mala escritura depende de una lógica interna de lo literario que más tarde o más temprano se separa de lo histórico. No quiere decir eso que la Literatura no intervenga sobre la Historia y viceversa, pero el valor de lo literario, la impresión de verdad literaria que trasmite un texto, no depende de que comulguemos con las verdades de otra índole, políticas o científicas o morales o psicológicas que trate de trasmitirnos la propuesta cómplice de escritura y lectura.

López Sacha hace un inventario de la modernidad literaria cubana desde el boom latinoamericano que tuvo extraordinarios apellidos cubanos: Lezama Lima, Carpentier, Cabrera Infante o Miguel Barnet como su más joven estribación, por riguroso orden bioliterario. No se puso aquel sol sino que una nueva remesa de escritores entre los que figuraban Jesús Díaz, Reinaldo Arenas, Norberto Fuentes, Heras León marcó el eslabón con la hornada hoy presentada que tiene como cabeza de fila a Senel Paz, por el no mínimo hecho de haber sido el más divulgado internacionalmente y por haber dado el tono de una literatura comprometida con la esperanza de la síntesis entre cambio y continuidad. Fue el cuento de Paz, *El lobo, el bosque y el hombre nuevo,* premio internacional Juan Rulfo 1990, el que abrió camino a una renacida curiosidad internacional por la más nueva literatura cubana, curiosidad a la que espera contribuir esta antología.

Conocía la obra de Senel Paz, Jesús Díaz, Abel Prieto y Leonardo Padura y a partir de ahora me propongo buscar la de los otros escritores aquí censados. Tras la lectura se descubre que la nueva literatura cubana consuma el encuentro dialéctico entre tradición y revolución, con el añadido de la pluralidad patrimonial que caracteriza el postmodernismo. Suelo rechazar el postmodernismo que implica ahistoricismo, pero es irrechazable que consumido el sueño de la vanguardia por la vanguardia, las artes y las letras dependen de asumir todos los patrimonios posibles y de tratar de modificarlos mediante la violación de los códigos patrimoniales. La difícil situación por la que pasa la industria cultural cubana, plasmada en los problemas de edición de sus propios escritores, se agrava por el bloqueo cultural implícito que se le impone desde los mercados extranjeros. El cupo de cubaneidad asumida parece haber terminado con la promoción de

Jesús Díaz y con la sorpresa ante Senel Paz extremada por el éxito de la película *Fresas y Chocolate* basada en su relato más emblemático, pero en los últimos diez o quince años la cuarentena política que rodea a Cuba se ha convertido también en una cuarentena cultural muy difícil de romper. Incluso una sociedad literaria como la española, tan interesada en el inmediato pasado por cuanto se escribía en Cuba, no dedica serios esfuerzos a enterarse de que Cuba sigue literariamente viva mediante los escritores que trabajan en la isla y los que lo hacen a cualquier distancia geográfica o ideológica. Dada la debilidad de la edición cubana sería necesario que editoriales españolas abrieran sus catálogos a estos excelentes escritores cubanos reunidos con voluntad de sol naciente.

La casa del sol naciente

Francisco López Sacha

Las antologías son siempre un pecado, pues se asumen con gozo y con miedo. Esta no es la excepción. El material de que dispone una cuentística es tan vasto que siempre pueden hacerse otras antologías completamente diferentes entre sí. Esta que presentamos, entre tantas posibles, no es sino una muestra de que el cuento es un género vivo en las últimas dos generaciones de escritores cubanos. Ese es su propósito inicial. Los cuentos que aquí se agrupan pertenecen exclusivamente a los últimos quince años de cuento en Cuba, a ese momento tan fugaz en el tiempo que pudiéramos denominar como cuentística cubana contemporánea. El término es discutible y hasta polémico si se establece de modo general, pero en las circunstancias de nuestra literatura resulta muy preciso a partir de una fecha. Entre 1979 y 1980 comenzó un saludable cambio para el género, y esta renovación significó un renacimiento, una vuelta en redondo y un rescate valioso de una de las tradiciones más afortunadas en la narrativa en idioma español. El retorno al sentido del cuento, que estuvimos a punto de perder, nos colocó a todos a comienzos de los años 80 en esta casa del sol naciente, o en la mejor tradición de las letras cubanas. Los hallazgos pudieran ser visibles en estos veinte autores que aquí antologamos, quienes nacen o renacen al cuento con una nueva vitalidad. Mostrar ese camino en sus matices más reveladores es el propósito final de este libro.

Desde comienzos de los años 40, la cuentística cubana desarrolló una manera propia de entender el género, la cual determinó casi dos décadas en el país e influyó de forma decisiva en la narrativa hispanoamericana. Alejo Carpentier, Virgilio Piñera, José Lezama Lima, Lino Novás Calvo o Eliseo Diego, trajeron a nuestras letras el cuento moderno y añadieron modalidades propias como el realismo mágico, lo real maravilloso, la fabulación poética y el absurdo. Entre 1942 y 1958 el cuento cubano se convirtió en el explorador por excelencia dentro del género narrativo y estableció pautas a seguir que perduraron por muchos años. Estas décadas de oro abrieron un camino de insospechable alcance y establecieron una tradición de modernidad que culminó precisamente en 1958 cuando se publicaron los dos libros más importantes del período: *Guerra del tiempo,* de Alejo Carpentier, y *El cuentero,* de Onelio Jorge Cardoso.

A partir de ese instante apareció una nueva generación, una vanguardia, en los primeros libros de Guillermo Cabrera Infante, Humberto Arenal, Lisandro Otero y Calvert Casey. La presencia de la Revolución Cubana, y lo que ella potenció, casi dejó sin habla a estos cuentistas a partir de 1960. Ese cuento intimista, de irresistible vocación existencial, que fue incubándose lentamente desde fines de los años 50, se encontró de pronto con una nueva realidad. La explosión revolucionaria amplió los límites de la Historia y creó un espacio de participación tan radical que aquella generación tuvo que redefinir su estilo de contar. Por si fuera poco, la modernidad de entonces se orientó hacia la América Latina, hacia la Nueva Narrativa Hispanoamericana. El nacimiento del Boom, del que fuimos partícipes con libros tan decisivos como *El siglo de las luces*, de Alejo Carpentier, *Tres tristes tigres*, de Guillermo Cabrera Infante, *Paradiso*, de José Lezama Lima, o *Biografía de un cimarrón*, de Miguel Barnet, colocó la realidad literaria en otro derrotero y determinó una búsqueda estética que distaba bastante de los criterios establecidos por el Noveau Roman, Sartre, Camus, Hemingway o Salinger.

El cuento cubano de esos años entró en una zona de difuminación y de tanteos que finalizó en 1966, cuando otra generación de narradores, encabezada por Jesús Díaz, fundó la Nueva Cuentística Cubana. Después de *Los años duros*, premiado por la Casa de las Américas en 1966, el cuento cubano fue otro. Jesús Díaz logró sintetizar con el espíritu del Boom las tradiciones de universalidad y cubanía de los grandes cuentistas anteriores. A partir de su libro, que fue revelador, y de otras colecciones de cuentos como *Tute de reyes* (1967), de Antonio Benítez Rojo, *Condenados de Condado* (1968), de Norberto Fuentes, *Los pasos en la hierba* (1970), de Eduardo Heras León, y *Con los ojos cerrados* (1972), de Reinaldo Arenas, los conflictos sociales y políticos, y la disyuntiva de la integración o el rechazo a la Revolución, encontraron un nuevo lenguaje. La estética recién inaugurada por estos creadores era la misma de Cortázar, Fuentes, Vargas Llosa o García Márquez, aunque con aportes sustanciales para el género dentro de la propia narrativa hispanoamericana. Con ellos, el cuento se fragmentó internamente en diversos puntos de vista, el conflicto se polarizó y se hizo evidente, y la voz del narrador fue también la voz de los protagonistas del relato. El personaje reflexivo dejó de ser el hombre acosado por la angustia de vivir, para ser un individuo definido en lo esencial por su posición ante la Historia. Los violentos episodios de la épica, y los sucesos de la lucha de clases, cubrieron una etapa decisiva en la literatura cubana y dejaron excelentes modelos para la tradición.

Después de 1972, el cuento cubano sufrió un retroceso, motivado en este caso por causas de carácter ideológico. Muchos creadores dejaron de publicar, o de escribir y fueron marginados del movimiento intelectual. Las ideas estéticas predominantes convirtieron de hecho al arte narrativo en un apéndice de la política. La gran cuentística de la violencia y la fabulación desapareció prácticamente del panorama literario, y el tipo de cuento que vino a sustituirla se redujo a conflictos elementales, con poca profundidad y alcance en sus fines estéticos. Pocos autores escaparon a esa fase oscura de la narrativa cubana, denominada por el crítico Ambrosio Fornet como el Quinquenio Gris. La materia narrativa perdió vitalidad, se redujo la zona experimental en el relato a cambios más o menos torpes en el tiempo y el espacio, y se estableció una falsa contradicción que entonces parecía esencial entre el pasado y el presente. Los cuentos de esa época, muchas veces fabricados para ganar concursos, parecían realizados por un mismo autor.

Entre 1976 y 1979 algunos narradores como Rafael Soler, Miguel Mejides y Mirta Yáñez, ensayan un tipo de cuento más audaz, en el que se narran los acontecimientos épicos y humanos de la Revolución desde el punto de vista de los adolescentes. Esta modalidad, y algunos textos aislados de Gustavo Eguren, Miguel Collazo,

Eduardo Heras León y Jesús Díaz, ponen de nuevo en movimiento la dinámica del género, pero no será hasta 1980, con la publicación de **El niño aquel,** de Senel Paz, que el cuento cubano conquiste una nueva y perdurable estatura.

Este libro significó un hallazgo dentro de la producción de la época. Senel Paz narraba desde un niño una serie de historias cuya anécdota visible era contada para revelar, precisamente, el lado invisible de las cosas. Con esta manera de fabular el cuento cubano rescataba el conflicto y la tensión y trasladaba el escenario de los hechos al universo cotidiano. Comenzaba con estos relatos una sutil inversión del movimiento narrativo en Cuba. A fines de los años 60 éste se movía de la Historia al individuo, y ahora lo hace a la inversa, del individuo a la Historia. La épica y la violencia pasan a un segundo plano, y adquiere primacía una visión personal de los sucesos minúsculos, reveladores de la vida diaria. La vuelta a lo cotidiano viene esta vez con una anécdota más pobre en peripecias, pero más rica en sentido. Ahora se profundiza mucho más en los niveles internos de la fábula y el relato se cierra sobre sí mismo en un espacio autónomo. Esta narrativa de la intimidad se acerca a los procesos sociales y políticos desde la aventura individual de sus personajes, quienes reflexionan sobre su vida con verdadera autenticidad crítica. La mirada del niño y del adolescente se impone en estos cuentos, y con ellos los temas amorosos, sexuales y éticos alcanzan un nivel muy alto de realización artística. Se produce también una ruptura entre los límites de realidad y ficción, el cuento vuelve a la fabulación, a la magia, y a las entreluces del absurdo, lo insólito y lo fantástico. Los cuentistas ya no se conforman con relatar un hecho, sino que buscan con mucha intensidad una metáfora narrativa que convierta a ese hecho en un valor literario. Crece, por último, un espíritu iconoclasta, una especie de estética de la interrogación. Los llamados temas tabúes, que eran imposibles de tocar en los años 70 —el homosexualismo, la prostitución, el exilio, la crítica al sistema, o la angustia existencial del individuo— se manifiestan con mucha libertad en la variada producción de estos años. El cuento renace en todas sus modalidades expresivas y a lo largo de toda la década, y en lo que va de los años 90, los escritores cubanos conquistan la necesaria autonomía para expresar la vida sin cortapisas ni prohibiciones.

El niño aquel traza una pauta de autenticidad y estilo de singular importancia para el cuento cubano. Este libro permitió la apertura de un nuevo proceso de estilización que aún no ha terminado por completo. Entre 1983 y 1987 se establece una manera de narrar que tiene muchos puntos de contacto con la tónica general de la época, y narradores de dos generaciones diferentes se dan la mano y se aproximan en el mismo derrotero estético. Entre 1983 y 1987 se produce una nueva explosión y libros tan valiosos como *El jardín de las flores silvestres* (1983), de Miguel Mejides, *Las llamas en el cielo* (1983), de Félix Luis Viera, *Casas del Vedado* (1983), de María Elena Llana, *Cuestión de principio* (1986), de Eduardo Heras León, y *Donjuanes* (1987), de Reinaldo Montero, establecen una manera de narrar que despierta por segunda vez el interés de los lectores y los críticos. Hacia el fin de la década libros como *La vida es una semana* (1988), de Arturo Arango, *El diablo son las cosas* (1988), de Mirta Yáñez, *Noche de sábado* (1989), de Abel Prieto, *Según pasan los años* (1989), de Leonardo Padura, y *Habanecer* (1990), de Luis Manuel García, consolidan de modo natural estas conquistas y se abren a nuevas experiencias estéticas.

La década del 90 vuelve a abrirse con Senel Paz, gracias al éxito nacional e internacional de su relato *El lobo, el bosque y el hombre nuevo,* llevado al cine con el título de *Fresa y Chocolate.* Con él comienza el segundo aire de los narradores que iniciaron el cambio, acompañados por una nueva generación que aparece entonces en las revistas y publicaciones del país. Estos son los Novísimos, caracterizados en la antología *Los últimos serán los primeros* (1993) por el crítico Salvador Redonet. Ellos se mueven inicialmente dentro de los presupuestos estilísticos de la última fase de los años 80, pero muy pronto declaran su independencia en cuentos donde la anécdota se difumina casi por completo, el conflicto se traslada a los mundos marginales de la sociedad cubana, y los personajes comienzan a caracterizarse por la angustia, la soledad y la alienación. Estos narradores son hijos de la postmodernidad. Sus historias están fragmentadas y el cuento en sí mismo es visto casi siempre como un fragmento de la totalidad. De ahí que no presten demasiada atención a las convenciones y se atengan más bien a la escritura de un suceso, con claras influencias del ensayo, el periodismo y la poesía.

Cualquiera de los relatos de este libro puede constituir un buen ejemplo del estado actual de la cuentística cubana. La antología avanza en un cierto orden cronológico, de acuerdo a las fechas en que aparecieron los cuentos, o los autores. Paz, Díaz, Mejides, Heras León y María Elena Llana, representan el inicio de la década, hasta 1984. En ellos predomina la mirada del niño y del adolescente, la exposición de un conflicto privado y, en algunos momentos, la ruptura de la lógica real. Son relatos precisos, cerrados en sí mismos, con ligeras ondulaciones internas que conducen a un tema que rebasa los límites anecdóticos. A partir de Montero, entramos ya en el centro y en el fin de la década. Los autores que siguen, con la única excepción de Aida Bahr, se ubican entre 1986 y 1990, y los cuentos de Prieto, García, Viera, Arango, Yáñez, Padura y Vidal, son aún más exactos en su apertura hacia lo cotidiano, o, en todo caso, en la revelación de una realidad intocada, matizada por el absurdo, la violencia o lo insólito. Abilio Estévez es un buen dramaturgo y sabrá por qué lo pongo ahí. Con Miguel Collazo pasamos la frontera de los años 90, y los cuentos de Bobes, Garrido, Sánchez Mejías y Angel Santiesteban cumplen las pautas de ruptura que corresponden al momento actual.

Esta es la Casa del Sol Naciente, o el cuento contemporáneo en Cuba. Durante quince años hicimos una casa para todos, en medio del esplendor y el caos. La oración pertenece a dos poetas, Francisco de Oraá y Delfín Prats, porque también la poesía nos ayudó a construirla. Ofrecemos por tanto un minuto de luz dentro del cuento en idioma español. Ustedes juzgarán si me equivoco.

La Habana, 21 de noviembre de 1994

Bajo el sauce llorón

Senel Paz

Me despierto por las madrugadas y me gusta. Oigo las vacas mugiendo en el corral y las voces de abuelo y mis tíos que les gritan. Ninguna es tan desobediente como Caramelo, una colorada que se sabe la más linda del potrero. Al oscurecer, en cuanto me arrimo a la cerca a observarlas, baja despacito la loma que tiene en lo alto los piñones florecidos para que yo la mire, y la miro, y veo como queda dentro del arco que forman sus tarros el primer lucero de la tarde, y conversamos. Abuelo se levanta a las tres de la mañana, cuando suenan los dos despertadores. Llama a mis tíos, que regresan tarde de visitar las novias, y salen los tres a buscar las vacas. Esa vez yo no oigo los relojes, ni los oigo la segunda vez, a las cuatro y media. Entonces es abuela quien se levanta, hace café, y se sienta a esperar que abuelo llegue con el primer cubo de leche, lo hierve y manda desayuno al corral. Son sus trajines lo que me despierta a mí, el crujir de la leña en el fogón, el chocar de alguna vasija, el cuchicheo de ellos dos. O tal vez es la luz del quinqué y el fogón que llega al comedor desde la cocina, dobla hacia el cuarto donde duermo y penetra a través de la puerta semiabierta. A esa hora estoy solo en la habitación y me gusta mirar ese pequeño resplandor rojizo y escuchar todo lo que se oye: las vacas, las voces, los ratones, de casualidad un caballo, y sentir el friecito de que mi mamá está lejos, muy lejos de esta casa. Quisiera entonces hablar con las matas o los animales. Me dejo llevar por los pensamientos y monto a caballo tan lindo como tío Armando, soy el novio de Isabel, la novia de tío Alberto, o vengo de Canarias y conozco a abuela luego de haber vendido una vega de tabaco, estrenándome una guayabera de guarandol, y nos casamos. Va y pienso en que encontré mucho dinero y se lo regalo a mamá y le hago una casa y vivimos todos juntos. Porque nosotros somos cuatro: mi otra abuela, mamá, mi hermana Gloria y yo. Aquella abuela trabaja en Gavilanes, recogiendo café. Me gusta que trabaje allá porque siempre trae queso y dulce de guayaba y todos los cuentos son nuevos, pero dice que hay unos peñascos y unas lomas que el que se caiga no aparece más. Y yo quiero que ella aparezca siempre, no sólo por los cartuchitos de caramelos, queques y raspaduras, sino porque cuando me visita se sienta en el comedor frente a esta abuela y se ponen a hablar de tanta gente que conocen. Yo las miro a ver si decido cual de las dos es más linda o a cual quiero más. Si son muchas las raspaduras y queques que me trajo aquella abuela me parece que ganó, pero si con ésta hace poco que fui a buscar nidos de gallinas o me llevó a la charca de las pomarrosas y me bañé, creo que ganó ella. Mamá viene a verme menos que abuela, trabaja en el pueblo y es la que compra la ropa y los zapatos, y mi hermana está en casa de su madrina. A veces soy yo quien está en casa de la madrina y mi hermana aquí, o los dos en casa de Clotilde, una prima de mamá, o en casa de don Gervasio, que no sé qué parentesco tiene con nosotros. A mí también me dejan en lo de Mundito Gutiérrez, compadre de abuela, pero a mi hermana no porque ya ella está grande y el nieto de Mundito también y puede haber salido fresco como su padre, que en paz descanse. Abuelo dice que Gloria y yo no podemos estar aquí al mismo tiempo, que es donde más nos gusta, porque seguro que le damos mucha guerra a abuela, nos enfermamos de nada y son dos bocas; pero uno primero y el otro después, sí. Otra cosa que él dice es que mamá puede entrar y salir de esta casa cada vez que quiera, de día o de noche, y cuando llegue se le atiende y se le da de lo mejor que haya porque mamá no fue la mala, el malo fue mi papá, y mi hermana y yo no tenemos culpa. Mis tres tías solteras son las que no quieren que mamá venga a la casa, y le ponen escobas con sal detrás de la puerta y se esconden en los cuartos con las bembas empinadas hasta que se marcha, y lo que menos les gusta de nosotros es que nos orinamos en la cama de sinvergüenzas, porque mira que ellas nos lo dicen y encargan. Donde único podemos orinarnos sin que peleen es en casa de la prima Clotilde porque allá dormimos con los demás primitos, todos en una cama, y por la mañana no se sabe cuál vejigo fue el que se orinó. Pero resulta que en casa de la prima Clotilde no nos orinamos ni mi hermana ni yo, cabrones que son nuestros pipitos. A abuela no sé si le gusta que mamá venga, porque ella la recibe en la sala y le brinda café y le hace cuentos de lo obedientes y tranquilitos que somos nosotros, igualito que si no hubiera muchachos en la casa, y si no fuera por la comida podíamos estar los dos. Con todo, basta con que abuelo diga que podemos estar aquí para que estemos, y que mamá puede visitarnos para que nos visite, porque en contra de abuelo si no hay quien se atreva. Ni la vaca Caramelo.

Pero no es de esto de lo que yo iba a hablar, ni por lo que estoy bajo este sauce llorón desde el amanecer, vestido con el pantalón y la camisa de salir, todavía peinado y sin quitar ni un momento los ojos del camino. Esta madrugada hablaba con abuela en la cocina, esperando que la neblina levantara para llegar al corral y ver ordeñar las últimas vacas, cuando abuelo entró y se dirigió a mí: «¿Usted sabe que día es hoy?» Yo no sabía y miré a abuela para que me ayudara. «Hoy es nochebuena y vamos a asar un puerco» dijo él. «Pero lo importante es que hoy viene su padre a conocerlo. Que lo peinen y lo vistan desde temprano y no ensucie para que lo encuentre decente». Se quedó mirándome y yo lo miré y miré a abuela. «Vamos a acostarnos otro ratico», dijo ella cuando abuelo salió y me llevó cargado para su cama. Pero no dormí. Lo primero que decidí fue no comer ni una mandarina ni una guayaba para tener mucha hambre y comer mucho delante de mi padre cuando sirvan la mesa. Y en cuanto mis tías se enteraron de que hoy viene papá se alegraron mucho y dijeron que iban a sacudir y baldear la casa y fregar los muebles y me peinaron y vistieron. Vine para el patio con mi sombrero a escoger el lugar donde esperar a papá. «¡Eh! ¿A dónde va ese tan emperifollado? ¿Se creerá que es Mundito Gutiérrez?», dijeron las gallinas en cuanto me vieron salir. Pero yo no les hice caso y le dije a los claveles de las diez que abrieran a las nueve, y al galán de noche que perfumara de día, y a las mariposas que estuvieran vigilando para volar en cuanto aparezca papá, y a los gatos que cazara cada uno un ratón y lo recibieran con él en la boca para que vea qué buenos cazadores son. Me planté en medio de los rosales, con la idea de quedarme allí y hacerme el que no veía llegar a papá para que él preguntara: «¿Y ese hombre que está cuidando las matas, quién es?» «Ése —responde abuela—, ése es tu hijo»; pero luego había mucho sol y me fui para la sombra de la guásima del patio y cogí un hacha para ponerme a picar leña y que lo que dijera papá fuera: «¿Y ese señor que trabaja tanto, quién es?» «¡Ah —dice abuela—, ése es tu hijo!» Pero me pareció que mejor no, porque el tronco de la guásima tiene en lo alto un comején feísimo y vine para este sauce llorón y aquí estoy esperando, en esta postura que parezco un vaquero. «¿Quién es ese hombre tan serio y de tanto respeto que hay parado ahí?», preguntará papá. «¡Ése es tu hijo!», responde abuela. «¡No me digas: qué grande y qué bonito! Corre acá, hijo, que te quiero saludar y dar los regalos. ¿Cómo están tu hermana y tu madre? Les das saludos míos.» Y cuando me acerque dirá: «Es igualito a mí. Ahora lo voy a criar yo, me lo voy a llevar para Camagüey y ponerlo en una escuela». Papá aparecerá por el camino montado en su caballo blanco y con las alforjas llenas de regalos. Cuando esté cruzando el arroyo, se parará en los estribos, y gritará: «¡Que venga a alcanzarme mi hijo!», y yo correré cuanto pueda con el sombrero en la mano, y él me alzará hasta la montura y el caballo blanco resoplará haciendo temblar su piel como hacen lindo los caballos, moviendo la crin y la cola y con los ojos bien abiertos de alegría. Mi padre es mi padre y yo lo quiero conocer. Por eso sigo debajo de este sauce llorón sin cambiar mi postura de vaquero. Él es el hombre que está retratado en la sala, cuando era jovencito. Ha tenido más novias que los tíos Armando y Alberto juntos, dice abuela, y no porque sea su hijo, dice, pero no había hombre más guapo en este barrio, ni que inventara mejor una décima. Mi hermana lo vio una vez y me contó que es más alto que abuelo, más ancho, pero tiene su misma voz, la risa de tío Armando, los ojos de tío Alberto y únicamente la nariz de abuela. Tío Alberto es el que más se le parece, por el caminar, las cejas, y porque también habla así, como echando las palabras por un solo lado de la boca. A los dos les gustan las camisas de cuadros, los pantalones tejanos, los sombreros negros y pararse como vaqueros que son. Yo también me parezco a él, todo el mundo lo dice, me sacan por la pinta, y es que se me ocurren las mismas cosas, tengo el mismo lunar, la misma forma de andar, de dormir, todo esto sin haberlo visto nunca, no más que en el retratico de la sala, y es porque la sangre llama, es la misma. Abuela dice que, cuando niño él también era chiquito y flaquito que daba lástima, pero no se enfermaba tanto y trabajaba más que yo. En mi casa no lo puedo mentar, y cuando los parientes de mamá dicen que es un sinvergüenza y mi madre muy buena, y que cuando yo crezca tengo que cuidar mucho a mi madre y si él me necesita decirle que no, que se acuerde de que no se ocupó de mí cuando debía, digo que sí, que así mismo haré, pero me da pena con mi padre, tan sinvergüenza que todo el mundo habla mal de él. A lo mejor es un brebaje que le echó alguna mujer. A veces me imagino que soy mi padre y estoy retratado en la sala, en ese mismo caballo, y luego voy al pueblo y le traigo a abuela los mandados que le gustan para que los guarde en la alacena vieja. Enseguida me casaba de nuevo con mamá. Otras veces pienso que es con él con quien duermo, no con tío Alberto, y me tapa para que no me piquen los mosquitos, y mejor aún cuando no es tío Armando quien me lleva a dar vueltecitas en la yegua vieja, sino él, y hablamos, me pregunta por mi hermana, y yo lo invito a que nos haga una visita.

Pero no acaba de venir, y ya tuve que ir a comerme una mandarina, y me comí otra, sin darme cuenta, y luego una guayaba, sin darme cuenta. Me perdí la puñalada del puerco, no vi cómo lo metieron en esa puya ni cómo es por dentro un puerco muerto. Las tías acabaron de arreglar la casa y está la última en el baño. Abuela me dijo que sí, que mi papá viene, está al llegar, y fui hasta el palmar y se lo dije a las palmas, que son amigas mías, y ahora ellas no más están esperando que aparezca para salir también a recibirlo. Las tías cortaron flores nuevas para todos los búcaros y abuela tiene sobre un taburete su delantal blanco y bordado para ponérselo en cuanto él esté cerca. A cada rato se asoma al camino y me pregunta a mí si todavía nada. «Ése llegará para las doce», dijo. Pero pasaron las doce y tuve que decirle a los claveles de las diez que tampoco cerraran a la una y al galán de noche que siguiera echando perfume, por favor. Menos mal que unos pájaros dan una fiesta en la guásima. Y yo me estoy derritiendo porque es poco el sol que tapa este sauce llorón. Si se me ensucia la camisa no tengo más. Seguro que mamá me pregunta: «¿Qué te dijo tu padre, te encontró grande, gordo, bonito, te preguntó por nosotros, por tu hermana, te dio algún dinero?». Yo lo que quiero es que acabe de llegar.

—¡Ahí viene Joaquín! —oigo que dice de pronto mi tía Rosa desde una esquina del portal, y suelta la escoba y corre para adentro arreglándose el vestido.

—¡Ahí viene Joaquín! —repiten desde la cocina todas las tías y abuela, y los tíos abandonan corriendo el puerco que asan bajo el caimito. Únicamente abuelo permanece allí, se acomoda el cinto y el sombrero. Los gatos buscan sus ratones, Caramelo viene hasta la cerca, el techo de la casa brilla, se alborotan las mariposas, cantan los pájaros en las matas, y todas las gallinas vienen hacia el frente de la casa como si acá estuvieran repartiendo maíz.

Joaquín es mi padre, y lo descubro sobre su caballo blanco, apareciendo y desapareciendo por entre los troncos de las palmas, pero allá en el camino. Llegará a la puerta y tomará el trillo. En ese momento aún no tenemos que salir a alcanzarlo, sino después de cruzar el arroyo, cuando el caballo comience a subir la cuesta y venga despacito bajo la sombra de los bienvestidos. Ya entonces le veré la cara. Abuela ha salido de la cocina con el delantal blanco y bordado, limpiándose los tiznes y grasas del fogón. Vienen después las tías, con flores en el pelo, todo el mundo sonriente, y luego los tíos. Yo me quedo donde estoy, bajo el sauce llorón, con un pie sobre una piedra y una mano en la cintura como si fuera mi tío Alberto conversando, y ya todo el mundo viene por el jardín. Los claveles de las diez, el galán de noche, los jazmines y las rosas echan sus olores. Ya mi padre atraviesa el palmar, es casi tan alto como las palmas, que han corrido hasta el borde del trillito y lo aplauden. Las biajacas en el arroyo saltan. El caballo blanco es enorme y ya se ve que viene sonriendo y a mí se me salta el primer botón de la camisa de tanto que me crece el pecho. Abuela no resiste la tentación y corre. Alcanza a papá en medio del potrero, escucho sus risas, y él le tiende los brazos, la sube al caballo. Abuela se ríe y lo besa y le quita el sombrero. Mejor me voy a picar leña bajo la guásima, pero ya no da tiempo. Las tías esperan en la puerta del batey y el perro de mi padre anda por los patios. Papá deposita a abuela en el suelo, de un salto cae él y abraza y besa a su primera hermana, a la segunda sin que lo suelte la primera, a la tercera sin que lo suelten la primera, la segunda y abuela, y le toca el turno a los tíos, unos abrazos fuertes cuyas palmadas oigo desde aquí, y vienen todos abrazados y riendo. ¿Le gustará a papá el dulce de toronja como a mí? Se lo preguntaré a abuela, y si a él no le gusta a mí tampoco me va a gustar. Se acercan al sauce llorón. Ya se me saltó el segundo botón de la camisa y los pajaritos de todas las matas pían porque también quieren ver a mi padre y su caballo que sigue la comitiva, muy orgulloso de ser tan blanco y lindo. Ya llegan. Por fin lo veo. Veo a mi padre que no me ha visto. Lo veo completamente. De aquí en adelante lo recordaré así, con esa sonrisa, los dientes tan blancos y como si estuviera acabado de bañar, parado yo bajo el sauce llorón y él contra el sol. Siento que no podré decir: «La bendición, papá, ¿cómo está usted?, ¿y su mujer?», ni podré contestar ahora cuando me pregunte por mi hermana y mi familia porque... qué grande es, qué bigotes tiene, cómo se ríe de bonito, cómo se ríen todos de sabroso y yo siento vergüenza porque no me estoy riendo y ellos vienen. Va a pasar por mi lado sin verme. Mejor cambio de postura, sin dejar de parecer un vaquero como él. O ya sé: toseré, diré algo, «Tía Rosa, ¿tú has visto mi cabullita de jugar?» Abuela me mira. Tenía que ser ella con tantas flores bordadas en su delantal blanco quien me viera. Ahora lo sé bien, la quiero más que a la otra abuela. Aparta con su brazo el tumulto de familia, abre un sendero que va de mí a mi padre, y señalándome con la mano, dice: «Mira, Joaquín, éste es tu hijo» ¿Cómo no tengo ahora en la mano el caracolito que me da suerte? Ya voy a echar a correr hacia él pero su mirada me detiene, y espero las palabras que va a decir: «Con los ojos saltones como la familia de la madre», dice, y cierra el círculo de su familia, y siguen todos hacia la casa, de donde sale abuelo con los brazos abiertos. «Ya yo creía que usted no llegaba, don», le dice. Se están abrazando. Seguro que van a ver el puerco asado.

Yo voy a ir a comerme una guayaba y a seguir por ahí, buscando nidos de gallina.

Parque de diversiones

Jesús Díaz

Quién sabe si porque tenía los ojos azules o por que Paul Anka estaba cantando, el hecho es que así, de la nada y de pronto estableció una magia nueva. Tal vez porque el mar sonaba cerca, o sólo porque era la primera mujer que yo veía en trusa y de noche, rutilante en medio de la explosión de luz chillona y amarilla, sentada en la tabla sobre el tanque lleno de un agua calma, negra y fría; bella, serena e invicta como una virgen. Es probable que todas estas cosas y aún otras hayan influido en el modo místico en que canté junto a Paul Anka la palabra «devotion», una de las pocas cuyo significado conocía, porque debo aclarar que yo tenía trece años.

Tenía trece años y por primera vez en la vida algo me llamaba más la atención en el Coney Island que los aparatos; quiero decir que estaba perdidamente enamorado. Tanto que hubiese sido incapaz de calcular el tiempo que llevaba mirándola cuando la cúspide del frozen de chocolate comenzó a chorrear sobre la pechera de mi camisa blanca. En cualquiera otra ocasión esa circunstancia hubiese equivalido a un verdadero desastre; esa vez no tuve fuerzas, simplemente dejé caer el barquillo. Sólo me preocupaba que ella me hubiese visto; pero por ese lado podía estar desesperadamente tranquilo. Miraba a otro.

Yo había aplacado el dolor de mi corazón porque el tipo era bajito y gordo y usaba bigotes, de modo que ella no podía amarlo. Sólo que no se fijaba en mí a pesar de que llevaba mucho rato mirándola con toda la fuerza de mi mente, y también con todo el poder que indiscutiblemente me daba el tener cruzados tres dedos en cada pie, hecho que a esas alturas me producía además algunos calambres cíclicos e insoportables. Pero es sabido que soportar el dolor es una prueba de amor, y quiero aclarar que si descrucé los dedos no fue porque no la amase. Simplemente tenía que echar a caminar.

Había tomado una decisión y aunque todavía estaba inmóvil como un árbol sabía que ya nada en el mundo podría pararme. En ese momento los altavoces comenzaron a trasmitir «Beguine de Beguine», que yo traducía entonces como «Principio del Principio», más o menos, y en mi cabeza estalló un mundo dorado como una pompa de jabón de tocador amarillo. Decidí instalarme en él durante tres minutos tan intensamente felices como siglos, y en ese mundo, desde luego, ella me amaba. El aire, ya lo dije, era dorado, con la textura única del dorado terciopelo que tenía el polvo de las estrellas de «Start dust», los muebles eran anchos y rojos living room sobre pisos de granito verde, las paredes eran de madera, con cálidas, encendidas, crepitantes chimeneas junto a las que descansaban grandes perros de caza moteados y orejudos.

Era, desde luego, de noche, y yo me sentía regio enfundado en mi canadiense de piel color terracota, con todo y botas de montar, creo que tenía hasta una escopeta de caza terciada a la espalda, colgada sobre la chimenea. Ella llevaba un strapless rojo e impúdico y me sonrojé al verle los pechos pujantes y como dos naranjas de California de las que aparecían goteando en los anuncios. Al fin salimos a la grava del jardín, al crudo invierno de Nueva Inglaterra, y fue una lástima que el frío nos impidiera usar mi Cadillac descapotable Eldorado, me gustaba mucho esa palabra, descapotable. Pero fue una lástima mayor que nos demorásemos tanto sonriéndonos al entrar al gran Chrysler gris charcoal. La sonrisa nos quedó bien, verdaderamente majestuosa y elegante, dorada, pero fue una lástima mayor, decía, porque en ese instante terminó la canción y una locutora hija de puta recordó que escuchábamos radio Kramer que se distinguía por su música.

Mi brazo derecho, noblemente extendido para indicarle el camino de la felicidad, quedó en el aire, y no tuve otro remedio que disimular pasándolo con displicencia sobre la mancha color chocolate de mi camisa. El tipo de los bigotes emitió una risita chillona, de ratón, y estuve seguro de que no se reía de mí porque de haberlo hecho jamás habría vuelto a reír. Le perdoné la vida, avancé un paso, y me detuve a considerar hasta dónde debía perdonarla a ella también, a mi novia. Moví la cabeza tristemente deseando de todo corazón que entendiera el porqué me era completamente imposible hacerlo. Mis objetivos eran dos: llamar su atención y castigarla. No podía hacerlo sin dar en el centro.

El centro estaba lejano. Un vago círculo blanco unido a un muelle, unido a su vez a un resorte, unido por su parte a un mecanismo que habría de abrir la tabla donde descansaba, confiada, la parte inferior del breve bikini verde de mi amada. Se trataba sólo de dar en el centro con una de las pelotas que alquilaba el gordito para que aquella mecánica levemente infernal de tuercas y engranajes se desatara, llevándola, con su desprecio, al frío fondo de las aguas negras del tanque. Ese sería el momento del supremo control: inclinar ligeramente la cabeza a los aplausos frenéticos del público, esperar a que subiera, húmeda y humilde, y entonces fallar los dos tiros restantes como un gran señor que ha perdonado.

Debo confesar que era difícil, incluso para mí, lanzador estrella del equipo de beisbol de las galletas Gacusa en la liga prejuvenil de La Habana. Esa misma dificultad significaba un reto que me enardecía hasta límites insospechados, ustedes entienden: Apolo y la Sibila, Don Quijote y Dulcinea, Romeo y Julieta. En rigor, el significado de los nombres que ahora cito me era perfectamente desconocido, entonces el primero aludía a un cine, el segundo a un bar, los dos últimos a una marca de tabacos. Por aquella época me remitía a parejas más cercanas y menos ilustres: Clark Kent y Luisa, Tarzán y Juana, y, ¿por qué no decirlo?, Pepita y el nunca bien ponderado Lorenzo Parachoques. También pensaba en Archie, especialmente porque era el único personaje de los muñequitos que, como yo, andaba sin plata. La diferencia residía en que Archie hallaba siempre una solución y yo tenía sólo la mitad de una.

El gordito, personaje avariento, cobraba quince centavos por el derecho a lanzar las tres pelotas. Ese era exactamente todo mi capital. Desde luego que estaba decidido a regresar a pie a mi casa; el problema sería una consecuencia inevitable del triunfo porque cuando ella se me diera, ¿qué? Eso pensaba al dar el segundo paso y extender mis tres tintineantes monedas al miserable cuya mano sudaba. El peso de las pelotas me hizo reconocer que la suerte estaba echada. Al avanzar hacia la luz de la gloria apareció la solución del enigma, si Archie podía, ¿por qué yo no?, ella pagaría. Todo estaba en lograr lanzarla al agua.

El gordito, bigotudo tramposo, operaba con unas pelotas que pesaban tres veces lo normal, lo que hacía mi tarea tan difícil como decían que era la del indio. No en balde nadie había logrado tirar a mi amada en toda la noche. Por eso estaba seca, orgullosa y serena. Para acompañar el primer lanzamiento me hacía falta escuchar «Vamos a la pelota». Como no lo estaban dando por los altavoces la puse a sonar en mi cabeza. Es aquella que dice «We are going to the base ball»; lo demás, para mí en aquella época, era el «Yankee Stadium», gradería repleta, plena Serie Mundial, con una pizarra así:

Brooklyn Dodgers   0 0 0 0 0 0 0 0 1
New York Yankees   0 0 0 0 0 0 0 0 0

Yo era, desde luego, el gran Don Newcombe de los Dodgers, y para que vean hasta dónde me la estaba jugando les diré que no tenía frente a mí a Willy Miranda, ni siquiera a Yogi Berra, sino al mismísimo Joe Di Maggio y cualquiera sabe quién era el Yankee Clipper. Ella estaba arriba, en un palco dorado sobre el agua. Llevé la bola atrás, luego bien alto sobre la cabeza, levanté la pierna hasta la frente, giré el torso para mostrar el número a las fans, lancé, y no sucedió nada.

Comprendí inmediatamente que me había equivocado de canción. Necesitaba «Lo que Lola quiere». En cuanto tararié «What ever Lola wants, Lola gets», se hizo el milagro. Sonaron tres trompetas, Lola movió lúbricamente su pierna izquierda sobre el agua, y yo era el tipo dispuesto a vender el alma al diablo con tal de tenerla. Desgraciadamente no había cerca ningún diablo comprador, sólo el gordito, diablo vendedor. Mirar al miserable me desconcertó completamente, ¿qué hacía allí aquel tipo? Levanté el brazo izquierdo para pedir tiempo y salir en busca de la pez rubia. Me estaba embadurnando las manos cuando me dijo: «Dale, tú, termina». Sólo entonces comprendí que era el árbitro.

Masqué andullo, escupí por el colmillo, lo miré como debe mirar el gran Don Newcombe a un umpire desconocido, le dije algo que sonó bestial, algo así como «Teikirisy boy», y volví al juego. Por un momento lamenté que en beisbol no existiese nada parecido al rabo y oreja para el torero, porque de haberlo tendrían que dármelo ahora. Lola me animó desde el palco. Imaginé a Buck Canel anunciando las cuchillitas Guillette y diciendo «Ahí se prepara el pitcher». Lola volvió a animarme desde el palco. Escuché al umpire gritar «Wachimara?» en medio de los aplausos. Lancé. Seguí la recta rápida hasta que dio en el centro y sucedió algo inaudito: nada.

Aquello era un robo. Avancé gritándolo y gritándolo. Lola cometió el error de reírse. Le lancé la tercera pelota a la cara pero se incrustó en las mallas. Mis compañeros, los del equipo contrario y el público, se lanzaron al terreno gritando como condenados. De pronto di manos a boca con el umpire que no paraba de decir «Wachimarawachimarawachimara?». Me le encaré con las manos a la espalda como debe hacerlo un pelotero y le grité: ¡Yu saramambich! El tipo volvió a gritarme y entonces empecé a empujarlo con la barriga. Alzó la mano para pegarme y otro umpire lo contuvo mientras mi manager, Leo *Lipidia* Durocher, me halaba hasta que estuve fuera del terreno, junto al estruendo de la Montaña Rusa.

Los carros se desprendieron cuesta abajo con un rugido de huracán que cupo completo en mi tristeza. Desolado, busqué refugio en la canción del momento que era «Extranger in paradise» en la versión de la Hollywood Bowl. Entonces me sentía así como un extraño extranjero en el paraíso por el que empecé a caminar en busca de consuelo. Todo fue en vano. No me era dado beber el néctar de la Cocacola, ni comer la ambrosía del algodón de azúcar o de los churros. No era capaz de sentir la ingenua alegría de la Estrella o de los Carros Locos. Por primera vez el Trencito me pareció pequeño, el Avión del Amor ridículo, el Gusano un truco asqueroso. La risa histérica e incontenible que la muñecona de la entrada me lanzó al rostro completó el cuadro. Estaba en pecado, había mordido la fruta prohibida, y debía correr solo mi suerte sobre la tierra. Expulsado del paraíso volví, como el criminal, al lugar del crimen.

Algo sucedía allí, el público había aumentado muchísimo y constantemente acudían más y más gentes. Me escurrí desde las gradas sobre las preferencias hasta los palcos. Casi me da un síncope al ver el terreno. Frente a la perversa, evaluando el peso de las pelotas, estaba el vengador de mi afrenta: nada más y nada menos que el enormísimo Max Lanier en persona. Max era mi héroe. El mejor lanzador del beisbol que había venido jamás a Cuba. Yo había visto a Max lograr que los Leones del Habana mordieran una y otra vez el polvo de la derrota, lo había visto incluso ponchar al gigantesco *Perico* Formental; y ahora estaba allí, en mi nombre. Sentí que debía saludarlo y lo hice, le dije: «Ey, Max».

Mi alegría no tuvo límites al verlo volverse lentamente, con mucho estilo, y saludar. Alguien a mi lado dijo «No te metas que está borracho». Pero qué iba a estar, ¿cómo podría ningún borracho moverse con aquella elegancia de estrella? Volví a cruzar los dedos de los pies para que Max no fallara y para que ella supiera que era yo quien estaba tirando. Max comenzó a prepararse y yo a repetir sus movimientos. Cuando la bola salió de nuestras manos hizo un sonido como de avión a chorro en pleno vuelo. Sentí cómo golpeaba el centro que hundía el muelle que operaba el resorte que disparaba el mecanismo que abría la tabla. Vi a la perversa en el aire, azorada, y gocé su cuerpo de sirena al hundirse en las aguas negras y frías del estanque.

Grité cinco veces «¡Good Max, Good!», pero no obtuve respuesta. Max estaba aún peligrosamente ladeado. «Como un perro», dijo el tipo de la derecha en medio de la algarabía. Era un mulato piel de zapote y nariz de loro. No le dije nada porque me hacía falta seguir al enano yanqui que se había pegado a Max con ánimo de llevárselo. Pero Max no me falló, empujó al enano que trastabilló peligrosamente hasta sostenerse en la multitud, y volvió a la lomita. Ahora vendría el perdón, hermano del castigo.

Miré a la pecadora, húmeda y humilde, mientras escalaba el costado del tanque. Descrucé los dedos imaginando que para fallar no era necesario el conjuro ni los calambres. Volví a Max. Cuando lanzamos el mulato color zapote contó dos. Yo busqué el agradecimiento en la cara de mi amada, pero hallé sólo un segundo de sorpresa y otra vez el cataplúm al agua. La multitud rugió entusiasmada. Le hice un gesto de excusas cuando subió. Busqué la cara del gordito avariento, sonreía. Volví a cruzar los dedos. Lanzamos y al sentir el zumbido de la bola no me fue necesario mirar, de nuevo la mecánica de tuercas y engranajes se había desatado llevando a mi amor al fondo de las aguas. La multitud volvió a rugir. El mulato zapote me dijo que no lo molestara más, y agregó que había que estar loco para pichar sin pelota.

Yo pensé que no tendría de qué preocuparse, Max había terminado. Me di cuenta de mi error cuando el tipo bajito volvió a ser rechazado, y el diablo gordito aceptó un billete de mano de Max inclinándose hasta tocarle casi los zapatos con el bigote. «Un dolar», dijo una; «cinco», afirmó un segundo; «diez», me murmuró el mulato al oído. Arriba, en la tabla, mi amor temblaba de frío. Decidí, no sin cierta tristeza, liquidar a Max. Ya no lanzaría junto a él no tendría más mi apoyo. Descrucé los dedos de los pies e hice el gesto contrario: enredé las piernas y crucé los de las manos. Lo tenía amarrado.

Probablemente por eso me caí al saltar de rabia cuando funcionaron por cuarta vez los engranajes. Desde el suelo le dije «Aguanta, Max», pero el muy borracho estaba babeando en otro lado. Me incorporé temblando de frío con mi amada que subía resignada por la escala. Al llegar arriba me senté más tranquilo, nadie se había fijado en mí, todos aullaban. Desde entonces la coordinación entre el gordito y Max funcionó perfectamente. El miserable suministraba pelotas a una velocidad sólo superada por los lanzamientos del otro miserable. Entonces aumentaban los gritos hasta cubrir el sonido del cuerpo de mi amor en el agua. Al final el mulato contaba, mi amada subía, el enano rogaba a Max y explicaba al público que se le iba a echar a perder su capital, su brazo, pero el gordito canalla suministraba otra pelota y Max disparaba.

Desde que conté diez el color del cuerpo del mulato comenzó a variar. Al llegar a trece ya no era más piel de zapote sino humo. Con las catorce se fue corriendo. Muchos lo imitaron. Los gritos fueron muriendo hasta hacerse sólo un siniestro marco para el ruido ya claramente infernal de los mecanismos, del cuerpo de mi amada sobre el agua, de su jadeo al subir obstinada la escala. A las dieciséis no pude más y corrí junto al enano contra Max. Nos empujó a los dos sin mucho esfuerzo, y su cuerpo era rojo y agrio como el de un camarón podrido. Caí llorando de rabia. Desde el suelo conté diecisiete. Fue entonces que el mulato regresó con un policía.

Le explicaba a gritos que aquello era un abuso. Max seguía disparando y mi novia cayendo. El policía replicó que el americano estaba en su derecho. El enano se unió al grupo para informar al guardia que Max estaba borracho, que iba a echar a perder su capital, su brazo. El policía se quitó la gorra para rascarse el pelo. El gordito avariento informó al policía ser el dueño de un negocio legal con papeles por cuyo uso el americano había pagado. Entonces el policía volvió a su conclusión inicial: el ciudadano estaba en su derecho. Max se volvió irritado a pedir más pelotas. Ante el disparo veinte el policía gritó de júbilo y se quedó a mirar.

Los demás se fueron, rumiando su rabia. Yo me quedé clavado, porque para no olvidar jamás necesitaba contar una a una las veces que mi amor caía, se hundía y regresaba cada vez menos rubia, con los ojos menos azules. Conté treintaisiete antes de que Max vomitara y abandonara. Entonces fui hasta el tanque y miré los ojos de mi amada. Les puedo asegurar que no lloraba. Ni siquiera tuve ese consuelo.

Mi prima Amanda

Miguel Mejides

Mi madre, mujer nerviosa y con manos de cuello de río, me vestía en las tardes y me decía un vaya hijo a donde su prima Amanda. La casa de la prima distaba menos de dos cuadras, y era un caserón lacustre que levitaba en un mar que trasmitía la impronta de un lugar hecho para los ensueños.

Al llegar allí, se bamboleaban los postigos de mar rotos por los vientos y se descubría la saleta de tabloncillos con cuatro muchachas sentadas en sillas de extensión, frente a un tocadiscos RCA Víctor que auguraba una feliz ocasión para transportarse por la música de ese yanqui de mota de caracol y una guitarra disparatada como una ametralladora de guerra.

Al escuchar la placa del americano, las muchachas se ponían a bailar y marcaban los pasillos como cenicientas enloquecidas. Era un baile de miedo, y a la vez de exorcismo y liberación. Se levantaban por los aires, las faldas daban vueltas de trapecio y dejaban en libertad unos muslos de suaves pelambres rubias y pantaloncitos de encajes de amapolas.

Creo que mi madre me mandaba a la casa de mi prima Amanda, para descansar de mí y a la vez yo iba solícito con la idea de gozar con el espectáculo de hembras felices. Pero, pensándolo bien, la palabra feliz no es la justa. Ellas hubieran querido bailar con muchachos de su edad, ellas hubieran querido sentir el primer brote de barba, la crudeza de unos jeans almidonados.

—¡Nos gastamos unas a otras! —decía mi prima Amanda.

Sus madres no las dejaban juntar con varones por eso de que ya tendrían edad para cuitas del corazón. Todas andaban entre los quince y los dieciséis, estudiaban en distintos cursos de Las Salecianas, y aprendían mucho de historia sagrada, bordado, y de cuanto existe para hacer más esclava a la mujer.

—¡Un día conoceré a Elvis! —decía una.

—¡Si logro verlo le voy arriba y me trago los botones de ojo de camello de su gabardina! —decía otra.

—¡El mío es Pedrito Rico, con sus cejas de escapulario y sus labios de muchacha bonita! —decía mi prima Amanda.

A medida que fue pasando el tiempo, las fiestas tomaron otro vuelo. Fumaban con apuro unos Marlboros y las botellas de ginebra bajaban en una marea de despedida. Las muchachas venían con refajos tan transparentes que uno podía adivinar las cumbres de frutas, los pozos de azogue que me daban la sensación de viajar al infinito.

Cuando la ginebra estallaba con su armadura de flor, decían que Elvis Presley se paraba con su guitarra de ametralladora encima del RCA Víctor y las mataba con sus canciones. Tanto lo repitieron, que ya yo lo veía con su mota de caracol y con sus manos de hojas de planta prohibida.

El baile, que había tenido aroma de miedo y hasta de misterio, ahora era un tren corriendo por carriles levantados sobre las olas. Elvis se bajaba del RCA Víctor y compartía con ellas. Las apretaba como en un juego de ábaco y se llevaba sus néctares, sus frutas. Luego venía Pedrito Rico con su voz de gorrión y con un saludo que recordaba a las majas de Madrid, y levantaba los alaridos de aquellas muchachas.

Más tarde, entraban en pareja junto a Elvis y Pedrito Rico al cuarto de Amanda, y no regresaban hasta después de un buen rato, con los vestidos deshechos por los relámpagos del amor triste. A mí sólo me tocaba callar, porque me habían amenazado de que si mi lengua andaba con apuros, se lo dirían a Elvis y éste me llevaría para siempre en un viaje sin regreso dentro del estuche marrón de su guitarra.

Aquellas fiestas tuvieron su fin en un septiembre bullicioso en que partieron la mayoría de las muchachas a Puerto Real, al terminar en San Fernando la Superior y no tener escuelas para seguir. Mi prima Amanda no las imitó por aparecer en el grupo dos gemelas que habían venido de Antillas y le habían quitado su autoridad, por ese desenfado que tenían para conquistar un novio hoy y otro mañana.

Amanda aún intentó mantener las fiestas de los atardeceres e invitó a nuevas amigas y a la propia hermana mía. Yo seguía visitándola, pero no como antes. Mi prima Amanda se mortificaba porque ya no lograba sacar del RCA Víctor a Elvis y Pedrito Rico. Aquellas amigas ocasionales comenzaron a dejar de ir, y mi hermana, al regreso de una de aquellas ilusorias fiestas, habló en secreto con mi madre. Mi madre puso su grito en el cielo y sus manos de cuello de río se levantaron en forma de plegaria. Desde entonces, me prohibieron ir a casa de mi prima Amanda.

Pasaron dos años hasta volverla a encontrar. Después de mil avatares me iba a estudiar a la capital. Un día antes de mi partida, decidí ir a verla. Toqué a su puerta y ella me abrió cubierta por un batín de seda de la China. La casa se apreciaba completamente regada y sobre las mesas había cajetillas de cigarros vacías, botellas a medio tomar, y cajas de bombones con ridículas estampas de La Habana colonial.

—¿Qué te trae? —me dijo.

—Nada, verte, saludarte.

La observé detenidamente y vi que engordaba con un desparpajo desconsolador.

—Estoy hecha una marrana —volvió a hablarme.

Fue hasta el RCA Víctor y puso un vals vienés. Dijo algo así como que el Danubio era el río de la verdad. Los violines parecían acompañados por ángeles que daban conformidad al alma. La melodía se elevaba, tanto, que levantaba la casa en una tromba melodiosa.

—Ya no logro ver a Elvis ni a Pedrito Rico —me dijo.

Al terminar el vals y quedar en el tocadiscos un sonido de envoltorio, un sonido de pico de garza, decidí despedirme. No podía resistir aquel salón hermético, aquellas botellas a medio tomar, las cajetillas deshechas, aquel batín que más que adornar desfiguraba el cuerpo de mi prima Amanda.

—Me voy —dije.

—Regresa alguna vez, aunque sea a peinar mis canas —me respondió.

En la Universidad recibía cartas de mi familia en las que nunca me nombraban a mi prima Amanda. Por eso, y por las muchas cosas que a uno lo ocupan a esa edad, la fui olvidando. Aunque no por completo, porque a veces, cuando escuchaba canciones de Los Beatles, me daba por recordarla. No sabía explicarme por qué Los Beatles me traían tan frescos recuerdos de las fiestas de los atardeceres en casa de mi prima Amanda.

Después estuve varias veces de visita en San Fernando, visitas ocasionales, rápidas, a lo sumo de un día o dos. Jamás me dio la idea de preguntar por Amanda. Quizás todo radicaba en que dejó de nombrársele. Luego, en una carta a mi hermana, se me ocurrió preguntarle y sólo me respondió: «Tu prima con las mismas manías». Me percaté de la certeza del olvido. Me decía Tu Prima, como si no fuera también Su Prima, o La Sobrina de mis padres.

En unas vacaciones decidí pasarme una semana en mi antiguo pueblo. Lo encontré distinto, lo encontré como una moneda que se tira al aire y cae por su cara más brillante. No así a mi gente. Estaban marcados por el tiempo. Mi padre peleaba por sus espejuelos que se le habían perdido y los tenía puestos; mi madre cargaba con los recuerdos; mi hermana con varices que parecían cabezas de pimientos.

—¡Un poco de aire fresco hace falta aquí! —dije al soltar las maletas en el portalón de roble de mi casa. Después de los besos y caricias y hasta el llanto, mis padres parecían más jóvenes, jugueteaban con mi hijo que con los ojos muy abiertos empezaba a descubrir la vida. Mi mujer, con su menuda cintura y ojos de clavel, ayudaba en la cocina en ese pollo del domingo que se come en los pueblos del interior.

—¡A comer! —dijo mi hermana al rato, con su voz de mujer abandonada por su hombre.

Al terminar de almorzar, decidí ir a ese encuentro dilatado por años. No había preguntado por mi prima Amanda porque temía que delante de mi mujer soltasen eso: «con las mismas manías». A ella le había hablado de mi prima como una muchacha alegre, tierna, con vestidos de poplín que la hacían una princesa y con una mirada invencible. De las fiestas también le había contado a mi mujer, de cómo se divertían aquellas muchachas con un niño en el medio liado con una marinera y unas botas tan blancas que parecían de fieltro. No, por eso no hablé. No quería romper el hechizo que sólo la niñez puede darle a lo vivido. ¿Por qué manchar a mi prima Amanda? ¿Por qué maltratarla con historias tristes? ¡Que siguiera viva la prima Amanda, la loca prima amiga de fiestas!

Toqué a la puerta y no recibí respuesta. Del interior venía el ritmo de un rock, la voz sajona de Elvis a dúo con la voz castiza de Pedrito Rico. Volví a insistir con fuerza, golpeando la madera. Y escuché un adelante, dele al pestillo que no está cerrado.

Al cruzar la puerta no vi nada del interior. Los antiguos postigos de mar rotos por los vientos estaban cerrados. Me detuve a esperar a que mis ojos se llenaran de aquellas tinieblas. Finalmente, fui adivinando las mesas con las mismas cajetillas abiertas, las cajas de bombones rotas, las botellas a medio tomar, y al final, junto al viejo RCA Víctor, vi a mi prima Amanda sentada en una poltrona tan grande como la bodega de un bajel, tejida con cáñamos de océano, tierra, aire y querubines que la semejaban a un coche celestial.

—¡Mi prima, vengo a peinarte las canas! —le grité.

Ella me miró con ojos tristes, con ojos revolcados en charcos de olvidos. A un lado, junto a la poltrona, tenía a Elvis con su mota de caracol y la gabardina con botones de ojo de camello; al otro, a Pedrito Rico con sus cejas de escapulario y sus labios de muchacha bonita, y enfrente, de espaldas a mí, en un balancito de azúcar, se mecía un niño con una marinera y unas botas tan blancas que parecían de fieltro.

—¡Mi prima, vengo a peinarte las canas! —repetí.

Volvió a mirarme con sus ojos tardíos, con sus ojos revolcados en la tristeza, y me dijo:

—¡Al fin los tengo!

Luego, como cuando se tiran las aguas floridas a los difuntos, acomodó aún más su cuerpo de marrana abeja reina en la poltrona, y el dúo de Elvis y Pedrito Rico subió el tono de su canción, y el niño se levantó de su balancito de azúcar y abrió los postigos de mar rotos por los vientos y se columpió al cielo.

Final de día

Eduardo Heras León

Llegó tarde a la casa. Ella estaba levantada. Lo supo por la luz que se filtraba por las ventanas entre abiertas. Antes lo esperaba en el portal, mirando con ansiedad hacia la noche, dibujando su figura entre las sombras, creándolo a fuerza de imaginación y de deseos. Pero ahora estaba en la sala, mirando el televisor con los ojos entornados por el sueño.

Abrió la puerta. Ella levantó levemente la cabeza y le sonrió de lejos. Cerró la puerta con cuidado, sin hacer ruido.

—¿Comiste? —dijo ella.

—No —dijo él, mientras ella se incorporaba lentamente y apagaba el televisor.

—¿Tienes hambre?

—Un poco.

—¿Cómo te fue hoy?

—Como siempre... tú sabes.

—Sí, me imagino... Es tarde...

—Quisiera bañarme.

La miró a los ojos. La besó suavemente en la mejilla. Quiso atraerla hacia sí, pero ella se desprendió de sus brazos y se encaminó a la cocina.

—Ven —le dijo—. Hay agua caliente.

Se fue quitando la ropa mientras caminaba tras ella. Llegó al comedor y se dejó caer en una silla. Se quitó las botas y las medias. Estiró ligeramente los pies y respiró satisfecho.

Ella terminó de preparar el baño. Dijo:

—Entra..., ya está listo.

—Ven conmigo —dijo él, y le acarició una de sus manos.

—No... —dijo ella sin mirarlo—, tengo que prepararte la comida; no te demores.

Se pasó la mano por el pelo, recogió las botas y las medias. Luego lo miró fugazmente y sonrió.

Él entró al baño. Abrió la ducha y le dijo a través de la puerta entreabierta:

—Me preguntaron mucho por ti en la fábrica. Te extrañan por allá en estos días.

Ella no contestó. Cuando él terminaba de secarse, ella se asomó a la puerta:

—¿Terminaste? Se te va a enfriar la comida.

—Ya voy.

Salió del baño y se sentó a la mesa.

—¿Vino el periódico? Todavía no lo he leído.

—Toma —dijo ella, alargándoselo.

Se sentó a su lado, en silencio. Él empezó a tomar la sopa. Estaba tibia, casi fría. Abrió el periódico y comenzó a leer.

—No suenes la sopa —dijo ella—, no se te acaba de quitar la costumbre.

Él sonrió y siguió leyendo el periódico.

—Ayer Ada Rosa dio a luz —dijo ella.

Levantó la vista del periódico. La miró detenidamente a los ojos. Ella desvió la mirada, bajó la cabeza y se puso a jugar con el anillo de bodas.

—¿Quién es ella?

—La que vive enfrente... Tú la conoces.

—Ah... -dijo él. Volteó la página del periódico.

—Se te va a enfriar la sopa.

—Ya está fría.

—¿Te la caliento otra vez?

—No, no hace falta... no tengo hambre —dijo, volviendo a mirarla—. ¿Qué nombre le va a poner?

Ella levantó la cabeza y lo miró unos segundos. Algo le brilló allá adentro.

—No lo sabe todavía. Me preguntó y le dije que si era varón le pusiera Ernesto o Alexis, y si era hembra, yo le pondría Mylena...

Él soltó bruscamente el periódico y empujó el plato hacia un lado. Dijo:

—Dame agua.

Ella se levantó. Tomó el plato de la mesa.

—Hay arroz y pescado, ¿no quieres?

—No, ya no tengo hambre.

Ella trajo el vaso de agua, que dejó sobre la mesa. Después fue hacia la cocina y apagó la luz.

—Voy a acostarme... estoy cansada. ¿Vienes?

—Ahora —dijo él tomando nuevamente el periódico. Se levantó y siguió tras ella.

Entraron al cuarto. Ella se desvistió. Abrió el escaparate y sacó un refajo lleno de encajes, muy corto. Lo miró detenidamente unos segundos. Luego, volvió a colocarlo en su lugar. Buscó un pijama de algodón y se lo puso. Él levantó la vista y tiró el periódico al suelo. Ella se acostó boca arriba. Él se desvistió. Apagó la luz. Se tendió lentamente en la cama. Estiró la mano y la colocó sobre uno de sus senos. Ella retiró la mano con suavidad y se dio vuelta.

-Hasta mañana -dijo.

Él se quedó pensativo unos segundos. Después también se dio vuelta.

-Hasta mañana -le contestó.

En familia

María Elena Llana

En familia

Francisco Elías Luna

Cuando mi madre descubrió que el gran espejo de la sala estaba habitado, todos pasamos paulatinamente de la incredulidad al asombro, de este a la contemplación, y, acabamos aceptándolo como algo cotidiano.

El hecho de que la ovalada luna, un poco moteada de negro por la acción del tiempo, reflejara a los muertos de la familia en vez de a nosotros mismos, no fue causa suficiente para alterar nuestros hábitos de vida. Siguiendo la antigua máxima de «arda la casa sin verse el humo», nos guardamos el secreto que, después de todo, a nadie más que a nosotros mismos interesaba.

De todas formas, pasó algún tiempo antes de que nos resultara completamente natural sentarnos cada uno en su sillón preferido, y saber que en el espejo ese mismo sillón estaba ocupado por otra persona, verbigracia por Aurelia, hermana de mi abuela (rip, 1939) y que aunque a mi lado, en esta parte de la sala se encontrara mi prima Natalia, enfrente estuviera Nicolás, tío de mi madre (rip, 1927).

Como es lógico, si nuestros muertos se reflejaban en el espejo de la sala, lo que nos ofrecían era la imagen de una tertulia familiar, casi idéntica a la que componíamos nosotros, pues nada, absolutamente nada, del decorado de la sala: sus muebles, la distribución de estos, la luz, las dimensiones, se alteraba en el espejo. Únicamente que del lado de allá, en vez de nosotros estaban ellos.

No sé los demás, pero yo sentía que más que una visión en un espejo, presenciaba una vieja película gastada, ya nebulosa. Los movimientos de nuestros difuntos, al reproducir los que hacíamos nosotros, eran más lentos, parsimoniosos, como si en realidad el espejo no mostrara una imagen directa, sino el reflejo de otro reflejo.

De todas formas, desde el primer momento supe que todo se complicaría tan pronto mi prima Clarita regresara de sus vacaciones. Clarita me dio, durante mucho tiempo, la idea de haber caído equivocadamente en nuestra familia. Por lo vivaz y emprendedora, por su audacia y decisión. Esa opinión mía se avalaba con el hecho de que ella formó parte de la primera promoción de mujeres odontólogas del país.

Pero aquella impresión de que Clarita estaba por error entre nosotros, se disipó tan pronto mi audaz prima colgó el diploma y se puso a bordar sábanas junto a mi abuela, a mis tías, y a mis otras primas y hermanas, en espera de un pretendiente que no faltó, en realidad, pero que no fue aceptado porque no reunía unas cualidades que nunca se supo cuáles eran exactamente.

Aunque jamás ejerciera su profesión, una vez titulada, Clarita se convirtió en el oráculo familiar. Ella prescribía analgésicos y determinaba si tal o cual moda era adecuada o no; elegía las funciones de teatro y decía cuándo el ponche tenía el punto de licor adecuado para cada reunión social. Por todas estas preocupaciones, era lógico que cada año se pasara un mes descansando en algún balneario.

Y cuando aquel verano Clarita regresó de sus vacaciones, y fue informada del descubrimiento hecho por mi madre, se quedó momentáneamente pensativa, como si escuchara la sintomatología antes de diagnosticar. Después, sin inmutarse, se asomó al espejo, constató que todo era cierto e hizo un movimiento dubitativo con la cabeza. Inmediatamente se sentó en su sillón junto al librero, y estiró el cuello para ver quién lo ocupaba del lado de allá.

—Caramba, miren a Gustavo —fue todo lo que dijo.

Y, efectivamente, allí, en el mismo sillón, el espejo mostraba a Gustavo, una especie de ahijado de papá, quien a raíz de una inundación en su pueblo, se instaló en nuestra casa y se quedó para siempre en un status ambivalente de pariente pobre y comodín familiar.

Clarita lo saludó democráticamente agitando la mano, pero él, que en ese momento parecía abstraído en la contemplación de algo así como un bombillo de radio, no se dio por aludido. Sin duda los del espejo no tenían programado un mayor intercambio con nosotros. Y eso, aunque no lo dijo, debió de picar un poco el amor propio de Clarita.

La idea de trasladar el espejo para el comedor fue, naturalmente, de ella. Así como su complemento: acercar a la luna la gran mesa para poder sentarnos todos juntos durante las comidas. Así se hizo, y la cosa salió como esperábamos, pese a los temores de mi madre de que los habitantes del espejo huyeran o se molestaran con el ajetreo.

Confieso que era reconfortante sentarse cada día a la mesa y extender la mirada hasta sus lejanos confines para sólo ver rostros familiares, aunque algunos de los que estaban del otro lado fueran parientes lejanos y a otros, el tiempo de involuntaria ausencia los hubiera alejado ya de nuestros afectos.

Éramos unas veinte personas sentadas cada día a la mesa. Y aunque los gestos y movimientos de ellos fueran más ausentes y sus comidas un tanto descoloridas, en general dábamos la impresión de una familia numerosa y bien llevada.

En el límite entre la mesa real y la otra, se sentaron Clarita y mi hermano Julio, del lado de acá. De la otra parte estaba Eulalia (rip, 1949), segunda esposa del tío Daniel, mujer que en vida fue siempre distante e indolente, por lo que, en su estado actual, era la más ausente de todos los del otro lado. Frente a ella, mi padrino don Silvestre (rip, 1952), quien, aunque no era pariente de sangre, lo fue siempre por el corazón.

Me daba cierta pena ver la perdida rubicundez de don Silvestre, quien parecía un maniquí, que después de exhibirse mucho tiempo en la vidriera de un comercio, acaba perdiendo el color aunque conserve los carrillos inflados y el continente ideal para reflejar la salud de cuerpo y alma. El manto empalidecedor de la muerte sentaba mal al fornido asturiano, que sin duda se sentía un poco ridículo en todo aquello.

Durante algún tiempo comimos todos reunidos, sin más peripecias ni complicaciones. Pero no hay que olvidar que allí estaba Clarita y que, notorio descuido por nuestra parte, la habíamos dejado sentarse en el límite entre las dos mesas, en aquel ecuador entre lo que era y lo que no era, que aunque a nosotros no nos impresionara en lo más mínimo, debimos cuidar mejor.

Agregando a esa imprudencia por parte nuestra, el hecho de que fuera la indolente Eulalia la que quedaba del otro lado, no es raro que una noche, con la misma simpática naturalidad con que saludó al primo Gustavo, Clarita se dirigiera a ella:

—¿Me alcanza la ensalada?

Como una reina ofendida, altanera y distante, Eulalia le tendió la pálida fuente, llena de desvaídas lechugas y de unos tomates semigrisáceos, semitransparentes, que Clarita, encantada con la novedad, engulló con su mejor sonrisa traviesa, mientras nos miraba a todos tan desafiante como el día en que matriculó una carrera para hombres. No nos dio tiempo a nada. Solamente la vimos palidecer; después su sonrisa se tornó un poco triste, un poco desvaída y Clarita se recostó al espejo.

Cuando, terminados los luctuosos afanes del funeral, volvimos a sentarnos a la mesa, comprobamos que ya había ocupado su puesto del lado de allá. Quedó entre el primo Baltasar (rip, 1940) y la tía-abuela Federica (rip, 1936).

Lo sucedido había abierto una brecha entre nosotros y ellos. De cierta forma, nos sentíamos víctimas de un abuso de confianza, que nuestra hospitalidad había sido dolosamente aprovechada pero como en la discusión que sostuvimos los de acá, no pudimos establecer quién era en realidad huesped de quién, y como era indiscutible que en el nuevo suceso habían mediado la imprudencia y el espíritu científico-investigativo de Clarita y como, además, pasaron los días y, después de todo, no había mucha diferencia entre lo que Clarita hacía y lo que hasta entonces había hecho, el caso es que fuimos olvidando los su-

71

puestos agravios, y continuamos nuestra vida de siempre, reconquistando el camino perdido en cuanto a identificación con los del espejo, y cada vez más incapaces de discernir de qué lado estaba la vida y de cuál su reflejo.

Pero como una imprudencia nunca viene sola, yo pasé a ocupar el puesto vacío de Clarita. Ahora estoy mucho más cerca de ellos; ahora casi puedo escuchar un lejano rumor de servilletas que se doblan o desdoblan, un leve entrechocar de cristales y cubiertos, algún rodarse de sillas que nunca puedo concretar si viene de allá o es el que producimos nosotros mismos.

Está de más decir, que dilucidar esa cuestión no me preocupa. Lo que sí me inquieta, lo confieso, es que Clarita no parece haberse impuesto del todo de su nueva situación, y no guarda la suficiente compostura, gravedad u opacidad, por llamarle de alguna manera, y sigue con sus asomos de picardía que tanto nos robaron el corazón a todos.

Y el caso es que yo, más que cualquier otro miembro de la familia, puedo ser el blanco de sus actuales propósitos, porque siempre nos unió un afecto especial, tal vez porque teníamos la misma edad y compartimos los juegos infantiles y las primeras inquietudes de la adolescencia... Y ocurre que ella hace todo lo posible por llamar mi atención, y desde el lunes pasado está tratando de aprovechar un descuido mío para pasarme una piña así de grande, un poco desvaída, es cierto, pero con todas las posibilidades de ser apretada y un poco ácida como ella sabe que a mí me gustan.

«Happines is a warm gun», Cary Says

Reinaldo Montero

¿Qué harías si tropiezas con un tipo joven en la noche del sábado, y te dice, disculpe, pero tenemos tres niñas y nosotros somos dos, y a mí me parece que usted puede hacer de tercero, de El Tercero, me entiende?

¿Qué harías si asegura que las tres están bien, o que más bien están muy muy bien, y en definitiva nadie se ha puesto para nadie, porque las conocieron hará una hora, y desde entonces andan él y un socio fuerte suyo, con ellas, haciendo tiempo como guagüeros adelantados, porque a donde quieren entrar es por parejas, y no acaban de tropezarse con amigo o conocido, y mira que han dado vueltas, por eso uno de ellos se fue alante, para buscar a alguien que pareciera tipo chévere, gente sin lío, fácil, decente por lo menos, y no triple feo, te das cuenta?

¿Qué harías si te propone, un minuto, vuelvo enseguida, le digo a mi socio que se llegue, está esperando que le haga una seña al doblar de la esquina, o prefieres echarle un ojo primero al material, podemos pasarte por delante, tú medio que te escondes, y nosotros caminando normal, sin verte, y si las niñas te caen bárbaro, sales, te plantas, saludas con aquello de descubrirnos, de toparte por casualidad con dos sociales, y si no te cuadra ninguna, no hay tema, nadie se va a ofender, está claro?

¿Qué harías si llega el amigo del joven sin necesidad de ir a hacerle señas, y con desenvoltura se te planta delante, y sin disimulo, te chequea como oficial que revista su tropa, porque parece que es él quien debe aprobar la elección, y los muchachos, a cual más flaco, con camisas de corte parecido, cambian miradas, y entonces se te hace evidente que les llevas como quince años, pero el que en definitiva es el más flaco de los dos, el último en llegar, te extiende la mano y pregunta cómo te llamas, para cuando ellas lleguen, porque vienen para acá, para en cuanto aparezcan decirles, miren, es fulano el de la calle tal, la calle K, por ejemplo, o el hermano del amigo de Kiqui el de la calle K, o el amigo del amigo, o cómo te parece que deba ser?

¿Qué harías si cuando a ellos les da por ir pronunciando los nombres de las niñas con detalles de sayas y peinados, hacen su aparición las que ellos han llamado niñas, y ocurren las presentaciones, y tu bautismo como el amigo de Kiqui el de K, que ellas de todas formas no conocen, y las muchachas sugieren, por qué no vamos para allá si estamos completos?

¿Qué harías si una de ellas, la de nombre con C entre Cora y Cary, la de saya que anunciaron con franja blanca y fondo azul, te declara igual a su primo, el que es ingeniero, un filtro, que además toca o tocaba muy lindo la guitarra, que juega o jugaba cancha cantidad, que sabía y sigue sabiendo de asuntos de antenas como loco, y el tocaba y el jugaba te suenan a recordatorio que reza, usted no es tan joven como nosotros, esta no es tu liga, pero ella continúa hablando, explicando que le has traído el recuerdo del primo por la voz cuando dijiste tu nombre, aunque no es solo por la voz, le parece, aunque tú eres más callado, tanto, que ya se le está olvidando el sonido de esa voz que le ha llamado la atención por ser tan bonita, de verdad, como la de mi primo, no me crees?

¿Qué harías si las otras dos parejas han llegado a la puerta de lo que llaman Centro Nocturno y parece que ponen en claro su lugar en la cola, y de pronto hacen señas a Cora o Cary y a ti que andan rezagados, dilucidando coincidencias y diferencias con el primo, y apúrense, sólo queda una mesa de seis, nos toca, gritan, y Cora o Cary te toma del brazo, vamos, te arrastra, corre, y por no verte así llevado como un niño, y por no zafar tampoco tu brazo de sus dedos, juntas tu mano con su mano hasta la puerta, qué oscuro, y aún después, es por aquí?

¿Qué harías si iluminado por la escasa luz rojiza uno de los muchachos, el reflaco que te amistó con Kiqui el de K, habla de los precios de las distintas botellas y de los tragos posibles, y te pregunta, a ti que eres un fiel al ron, qué pedimos?

¿Qué harías si Cary, porque en algún momento le dijeron, alcánzame los fósforos, Cary, te saca a bailar sin indagación previa y, por fortuna, porque en ese arte eres más malo que peor, se trata de una pieza suave que tú y ella atacan con prudencia, al principio, sólo al principio, porque después no sabrás si fue ella o tú o la acción combinada de ella y tú lo que produjo el acercamiento y algo que se fue denunciando como caricias en la espalda, y luego un beso, me dijiste mi cielo?

¿Qué harías si notas que las otras parejas no se besan ni apretujan tanto como ustedes, sino que conversan más o menos tranquilas y toman, se sirven bastante de la botella que no es eterna, y a pedir otra, y más refrescos de los prietos para ligar, mientras Cary va susurrando, vuelves a gustarme por la voz cuando dijiste mi cielo muy bajito, tan cerca, que sentí como si surgiera del fondo de

77

mí misma, como si de siempre esa voz nombrando el cielo me hubiera crecido en lo profundo, y tú solo abrieras la boca para hacerla brotar, para que yo escuchara al fin lo que estuvo deseando emerger y no podía, o no te gusta que me ponga romántica?

¿Qué harías si los dos amigos se levantan y salen sin dejar un porqué, y las dos muchachas cuchichean y luego le dicen a Cary que van al baño, que si viene, y Cary, que sí, cómo no, y te da un beso, mi vida, enseguida vuelvo, te dejo el cigarro?

¿Qué harías si se demoran y se demoran, y la ceniza tan larga, más larga que el resto del cigarro de Cary, o que fue de Cary, tuvo que caerse y mancharte la camisa, porque en vez de soplar, procuraste quitarla con la mano, y allí, bien aferrada a la tela, se ve en la penumbra roja la mácula gris, y viéndola estás cuando se te para delante el que atiende las mesas, comprueba que la segunda botella expiró y pregunta, pongo otra?

¿Qué harías si uno de los muchachos vuelve, hay un taxi allá afuera, que te están esperando, no te ocupes de la cuenta, que ya ellos pagaron, dale, que te levantes rápido, o no vienes?

¿Qué harías si el taxi toma rumbo a Marianao con Cary sentada entre tus piernas, porque es ley que en el asiento de alante no puedan ir más de dos, sin contar el chofer, y en el asiento de atrás, no más de tres, que con cuatro detrás pudieran ponerse tan fatales que les pare un inspector o la policía y quieran partir al taxista, tan buena gente, y fue Cary la que quiso hacer de polizón que no sabe por dónde le conducen, y para no aburrirse anda muy entretenida entre tus piernas, o prefieres que me porte bien?

¿Qué harías si llegan a un lugar descolorido, es aquí, y tampoco permiten que pagues el taxi, silencio, y penetran por un pasillo entre casas donde Cary te vuelve a tomar de la mano, cuidado, y a cada rato tú y ella se detienen, no se ve nada, y casi van adivinando los ángulos de ese pasillo-laberinto, dame un beso, y te besa, no me vas a decir más mi cielo?

¿Qué harías si entras a un cuarto muy limpio y compuesto, con dos ventiladores, equipo de música, televisor a color, video, sofá esquinado, dos butacones, bar con botellas exóticas, otro butacón ancho, y el más flaco de los muchachos pone música, luz rojiza, de un rojo más definitivo que el rojo del Centro Nocturno, y que se sienta como en su casa el amigo de Kiqui el de K, y ves que los dos se quitan la camisa, sacan una botella, la numero tres, mientras Cary te hace acomodar en el sofá, se descalza, sube los pies, quieres quitarte la camisa?

¿Qué harías si Cary te susurra, ven, y esta vez no te toma de la mano, hace señas con el dedito, y la ruta de Cary atraviesa una puerta disimulada en la pared, penetra en un cuarto que ni sospechabas donde se abraza una de las parejas, la otra quedó en la habitación que imaginaste única, y tienes que pasar muy cerca del abrazo con ropas colgando, y te apresuras, no porque las ropas que cuelgan sean cada vez menos, sino porque Cary, desde una puerta que acaba de abrir y donde parece que comienza otra habitación, mueve su dedito y ruega en susurro, no vas a venir?

¿Qué harías si Cary está desnuda al borde de una cama ancha, más enorme que ancha, en el cuarto tercero, un cuarto que es cama nada más, sin otros muebles, con un clóset, o algo que pudiera ser clóset que va de lado a lado, y sobre el piso, el azul y blanco de saya y blusa y blúmer y ajustadores, y escuchas la voz de Cary rumorando en inglés algo que apenas se entiende, porque ella pronuncia muy raro una canción de por sí rara donde se nombra varias veces a una madre superiora y se dice que la felicidad tiene que ver no se sabe cómo con pistolas calientes, o no has logrado todavía descifrarla?

¿Qué harías si al rato entra una de las llamadas niñas con un batón tirado por los hombros, entra sin tocar, sin anunciarse, sin dar tiempo a que te cubras, aunque tampoco hay sábana para taparse, y la sobrecama es un bulto pardusco en una esquina, y esa muchacha, sin ocuparse de mirar, o haciéndose la que no le preocupa en lo más mínimo mirar, recuerda a Cary lo de alcanzar aquello cuando venga quien ella sabe, nosotros nos vamos para ir adelantando, que Cary no se demore, y ya en retirada la muchacha te observa sin recato, sin sorpresa, sin deseo, y guiña un ojo a Cary, y antes de desaparecer, vuelve con lo mismo, no se te va a olvidar?

¿Qué harías, Romero, si después de duchados en el baño que se dejó descubrir en una de las puertas de lo que tú diste por clóset, si después de vestidos, ella dice, te voy a preparar algo sabroso para que desayunemos fuerte, y quedas solo en la habitación, y sospechas por la forma del silencio, tú que eres un experto catador de silencios, que están solos en ese sitio de cuartos, y por simple curiosidad abres otra de las puertas de lo que parecía ser clóset, y ves, los ves, televisores, equipos de música, ventiladores, rollos de tela, pitusas, ropa varia, cada cosa en su caja o en bolsas de nailon sin abrir, te parece, y es tanto el abarrote y la variedad que cuesta pasar la vista con cuidado por aquel espacio, y cuando sientes una mirada en la espalda y te vuelves, Cary sonríe, te mira a los ojos, te dice, por favor, son dos jabas, esas, pesan un poco, solo es llevarlas hasta el taxi, un Lada verde que dice en el cristal de una ventanilla it's a mustang, y regresa con el sobre que te den, anda, ya deben estar cansados de esperar, llevan como diez minutos, y Cary se acerca, te besa hasta el colmo, vas a hacerme el favor en lo que preparo cositas ricas?

De Estupiñán y la ameba

Abel Prieto

Ahabab pasaba largas horas en cubierta, mirando la infinitud del mar, con la furiosa esperanza de encontrar una ballena blanca.

Melville

Estremecedora y cargada de misteriosas lecciones resultó ser la historia de Estupiñán; pero nadie podía imaginarlo todavía, cuando bromeábamos en la Empresa a costa de sus obsesiones hipocondríacas. La gente le llevaba el periódico con las estadísticas de muerte por infarto, a sabiendas de que esa misma tarde Estupiñán iba a sufrir punzaditas en el pecho o calambres en el brazo izquierdo. Otros lo buscábamos a la hora de almuerzo para obsequiarle terribles cuentos acerca del tumor maligno que liquidó a una vecina del barrio, ante un montón de aparatos sofisticados e impotentes, o de la trombosis que dejó a fulano sin habla —la cara hecha una etcétera—, de lepras, meningitis, virus y andancios. Todo lo oía Estupiñán conteniendo el aliento, rígido, parando la oreja con más intensidad que el perro de la RCA Víctor. Absorbía las calamidades que devastan la Tierra como si en eso le fuera la vida, y luego, ansiosamente, hacía preguntas: solicitaba pormenores de la sintomatología, del avance gradual del Enemigo, de las armas (tantas veces inútiles) empleadas contra él, y se irritaba si su interlocutor sólo podía ofrecer una idea muy general del caso. Muchas veces, por azar, dábamos en el blanco: Estupiñán se ponía lívido y atropellaba con angustia su interrogatorio sobre alguna tragedia específica, revelando al mismo tiempo una significativa erudición sobre tal o más cuál enfermedad; al fin, meditabundo, sombrío, cuando ya había extraído lo posible de la historia en cuestión, volvía a sus modelos de cierre de mes.

La gente (¿cómo evitarlo?) también hacía chistes sobre la vida personal de Estupiñán. La castidad que lo acompañó hasta su encuentro en la treintena con Mercy, estaba motivada, según decían, por su pánico hacia las enfermedades venéreas, capaz de aplastar los más fieros embates de la lujuria. Recordaban sus viejos conocidos que el noviazgo con Mercy había sido turbulento, y estuvo a punto de romperse —a causa de las precauciones de Estupiñán— en más de una ocasión. La leyenda afirma que el cauteloso pretendiente hizo contactos en el policlínico de Mercy para tener acceso a su historia clínica, y sólo entonces, ante la salud incuestionable de la muchacha, dar los primeros pasos hacia la intimidad y el casamiento. Aquella unión fructificó en un hijo, que ya está en Secundaria. Nunca fueron, al parecer, lo que se llama felices.

Las obsesiones de Estupiñán se triplicaron debido al que sería quizás el hecho más importante de su agitada existencia: el hallazgo (por un anónimo laboratorista a quien jamás estaría suficientemente agradecido) de su ameba. Unas diarreas habían conducido a Estupiñán, cruzado por negros presentimientos, a la consulta del médico. Llevó al día siguiente, con mano trémula, una muestra de sus heces fecales al laboratorio... El resultado fue aterrador. En la hojita del análisis asomaban estas palabras oraculares: «Se detectan quistes de endamoeba histolytica».

Llegó aquella mañana a la Empresa exasperado, casi hidrófobo, y localizó enseguida al secretario general del sindicato. Su acusación era severa como un bloque de mármol: el agua que brindaba la Empresa a sus trabajadores estaba contaminada, ya que él (Estupiñán) sólo bebía el agua de su casa y de allí (y apuntaba amenazadoramente hacia el triste, oxidado, humilde bebedero del segundo piso). Y él podía garantizar que en su casa (Estupiñán subrayaba las frases para que no cupieran dudas) se hervía siempre el agua. En consecuencia, la ameba que estaba minando su organismo tenía que haber salido de las entrañas aparentemente inofensivas del bebedero del segundo piso, y con seguridad nadaba a sus anchas en la cisterna que surtía el edificio. El secretario del sindicato le dio unas palmaditas en el hombro y aseguró que plantearía el problema en el próximo Consejo de dirección: todo esto con una falta de entusiasmo y una cara de no-es-para-tanto que hirieron íntimamente al acusador y motivaron el inicio de su Campaña por la Descontaminación de la Cisterna. Lo cierto es que a la hora del almuerzo Estupiñán formó un revuelo en el comedor, mostrando la hojita de su análisis y enarbolando el termo de agua hervida que había traído consigo. Encontró de inmediato dos partidarios fervorosos: una auxiliar de estadísticas solterona, maniática de la higiene, que transportaba en un nylon al comedor vaso y cubierto propios, y se lavaba los dientes cada dos horas; y un chofer de moto, recientemente sancionado por indisciplina, que disfrutó imaginando al director de la Empresa con traje de buzo, empeñado en cazar amebas bajo la tapa oscura de la cisterna. Pero pronto hubo muchos más que abrazaron la causa de Estupiñán y fueron a ver al secretario del sindicato, quien tuvo que asumir el asunto más en serio y solicitar una entrevista urgente al director.

Sin embargo, después de haber desatado la Campaña por la Descontaminación de la Cisterna, Estupiñán dejó repentinamente de interesarse en ella. No hizo caso de las felicitaciones de la auxiliar de estadísticas cuando se supo que unos hombres de bata blanca estaban recogiendo muestras de agua en el edificio; ni prestó atención más tarde a las pullas que llovieron sobre él, cuando apareció un letrero en el mural con el informe que demostraba científicamente que el agua de la cisterna era

incolora

inodora

insípida

potable

cristalina

e inocente como la de un arroyuelo que baja, gozoso, de la montaña. En ese entonces su batalla contra la ameba se había convertido en algo demasiado íntimo como para que el sindicato, el bebedero o el director de la Empresa conservaran un papel en ella. Era una batalla silenciosa, en los abismos interiores del hombre: de un lado, invisible todavía, navegando como una reina por sus canales secretos, la ameba; del otro, como un Ahab bajito y medio calvo, Estupiñán.

Ya no le importaban las cisternas ni las causas: su único tema era la ameba en sí. Sus mecanismos de nutrición y reproducción; su paso lento (inaudible) por la mucosa intestinal, entorpeciendo la digestión, royendo al inocente que busca la felicidad y el amor; su posibilidad de aguardar, enquistada, el agotamiento de las municiones de su adversario, para resurgir luego, viscosamente alegre, y dar un nuevo golpe; sus inusitados viajes, en busca de pastos más propicios, a través de las vísceras: cómo se aloja en el hígado, con desastrosas consecuencias; y cómo es capaz de practicar un tenebroso alpinismo, sorteando obstáculos de toda índole, para ascender hasta el cerebro humano y acomodar su cuerpecillo húmedo entre las ideas y los sueños de sus víctimas.

Mientras acumulaba información sobre su rival, Estupiñán tomaba cuatro veces al día unas píldoras anaranjadas, del tamaño de una peseta, y sometía sus heces fecales a un sistema de análisis seriados. Había adelgazado mucho, y empezaban a llegarnos noticias de su crisis matrimonial. Mercy se había franqueado con una amiga de la Empresa y (como era de esperar) pronto el runrún llegó al comedor y vino a sazonarnos la sobremesa: la mujer de Estupiñán estaba harta de la ameba, porque el parasitado no hablaba de otra cosa, ni pensaba en otra cosa, ni se ocupaba de nada que no fuera —para usar las palabras de Mercy— «ese asqueroso bicho». Según Mercy, hasta el niño escapaba a la calle buscando aire fresco, cuando Estupiñán —paternal y didáctico— intentaba prevenirlo acerca de las amebas y sus peligros. «Somos cuatro en la libreta aunque sólo estemos tres», había declarado Mercy, con amarga sonrisa: «Es como si ella viviera con nosotros».

En la Empresa, mientras tanto —donde Estupiñán, aparte de sus manías, estaba reconocido como un trabajador serio y eficiente—, también tenía problemas. El jefe del departamento le había llamado la atención varias veces porque descuidaba las tareas que se le encomendaban, y distraía a los demás con sus largas disertaciones sobre la ameba. Pero si muchos, hastiados del tema, lo evitábamos, en determinados sectores de la Empresa había ido ganando prestigio como conocedor del brumoso mundo intestinal, su flora y (sobre todo) su fauna. Una mañana, el jefe del departamento descubrió a Estupiñán aconsejando, con su voz opaca y monocorde, a dos mujeres de otras oficinas que le habían llevado sus hijos enfermos. Fue un momento difícil, porque el jefe del departamento tenía el corazón blando para los niños. Se limitó, pues, a esperar el final de la consulta, para reunirse luego con Estupiñán y recordarle, en términos presumiblemente duros, qué esperaba la Empresa a cambio de su salario.

Por esa fecha se quebró el matrimonio de Estupiñán. las últimas palabras de Mercy, antes del portazo definitivo, recorrieron la Empresa por los canales imperecederos de Radio Bemba: «Quédate con tu ameba».

Cuando en verdad se quedó solo con la ameba, Estupiñán concentró todavía más su vida en aquel odio sordo contra el parásito que reinaba en las paredes de sus intestinos y se burlaba de las grandes píldoras anaranjadas. Abandonó las conferencias y las consultas, en un salto a la soledad, en un renunciamiento a las glorias mundanas que el jefe del departamento interpretó como una respuesta correcta (autocrítica) de Estupiñán a sus advertencias. Algunos intuimos que se trataba de un proceso mucho más hondo: como si la ameba nos estuviera quitando a Estupiñán, del mismo modo que se lo había quitado a Mercy. Apenas hablaba ya con la gente, y si le preguntaban cualquier cosa, respondía con monosílabos. Sus ojitos sin brillo parecían volverse hacia dentro: hacia el campo de batalla donde la ameba llevaba la mejor parte. Y el jefe del departamento comenzó a preocuparse de nuevo cuando descubrió errores gravísimos en los modelos de cierre de mes que llenaba Estupiñán: «No me di cuenta», explicó, simplemente, con la voz más opaca que de costumbre.

Esta actitud ensimismada, taciturna y administrativamente insostenible, fue considerada el fruto de un divorcio traumático por la mayoría de la gente. «Deja que se encuentre una chiquita por ahí, tú vas a ver cómo se despierta», le decían al jefe del departamento: «Lo mejor es que coja unas vacaciones, que desconecte, una escapadita, unas cervezas...».

Y Estupiñán cogió vacaciones. Se alejó con una mueca indefinible y los ojos ausentes, como el capitán de un barco fantasma: sin destino preciso, sin fe.

La última noticia que tuvimos de él la trajo el capacitador de la Empresa, hace dos días. Se lo encontró el sábado por la noche, juguetón, contento, dándose tragos con una mujer en Los Violines. Hubo de hacer un esfuerzo especial para imaginar a Estupiñán (el melancólico parasitado) en la penumbra del club, con un Ron Collins en la mano y una sonrisa verdadera, y el costado tibio de una mujer, y música, apretones, caricias y otro Ron Collins. Era lo que debía hacer, lo que le habíamos aconsejado; pero nos tomó de sorpresa. No fue fácil apaciguar el asombro estrepitoso del grupo y pedirle al capacitador que contara las cosas paso a paso.

El encuentro se produjo en el baño: el capacitador fue a orinar y se tropezó con un Estupiñán desconocido, que olía fuerte a ron y a colonia Fiesta, con una guayabera bordada y una especie de euforia. Aquel Estupiñán lo abrazó aparatosamente y le dijo de sopetón que estaba entero, que iba a reconstruir su vida, que ahora sí —le decía—, ven para que la conozcas. (El capacitador hizo una pausa y notamos que algo no le cuadraba...)

—¿Y qué pasó?

—Nada. Fui con él a conocerla. Me la presentó.

Otra pausa, esta vez más larga. Empezamos a comprender que el capacitador estaba arrepentido de haber traído aquella historia a la Empresa. Pero ya era demasiado tarde.

Se la presentó, efectivamente, aunque no la vio bien en la oscuridad. Le pareció una mujer enorme, gorda, muy blanca, casi albina, y pensó que, al fin y al cabo, para gustos se han hecho los colores...

Pero ahora no pudo disimular un estremecimiento. Y todos (sin saber todavía por qué) también nos estremecimos. Venciendo una extraña resistencia, el capacitador habló de la mano: recordó que un segundo, un segundito, sus dedos rozaron una mano fría, blanda, pegajosa.

—O tal vez yo también había tomado mucho —murmuró.

Nadie hizo preguntas. El grueso se dispersó en silencio, pesadamente, por los distintos pasillos de la Empresa.

Quién sabe si en el fondo del odio está el cariño, como dicen los viejos boleros. Quién sabe si hubiera sido mejor para Ahab proponer matrimonio a Moby Dick.

El vendedor de mariposas

Luis Manuel García

*«The most serious accident
came when a U.S. plane
bombed a mental hospital
outside St. George's.
Sifting through the rubble,
rescue workers found at
least 19 bodies.»*
Newsweek, 46/14-XI-1984

Las espesas suelas de tus botas se oprimen contra el
bordillo del C-130, minutos antes de tocar la grava del conocido camino recocido a soles y salitres
entre los trópicos de Cáncer y Capricornio. Un estremecimiento se produce bajo tus pies, en el flanco dolido de
la tierra. El cuero de la caña se flexiona con la misma
impavidez con que cubría las carnes de una Holstein en
Denver, sin el temor que lo tensó mientras el tren reptaba
por los trigales del centro oeste; sin la premonición ni los
espasmos frente a los mataderos y tenerías de Chicago;
muy cerca de la factoría donde las manos de una muchacha rubia, que quizás se llamase Mary o Katy, iban sem-
brando la piel de puntadas y huellas dactilares. Una muchacha pecosa de Kentucky que bebe Sprite, termina el
High School en la escuela nocturna, lee fotonovelas y
sueña a Robert Redford mientras hace el amor con un
novio tan alto como tú y tan delgado, que le servirían tus
pantalones hilados en Atlanta con el áspero algodón de
Alabama. Tus pantalones, que ahora se mimetizan entre

las hierbas de Guinea; su ondulación al viento, donde se esconden presagios de arrozales en Binh-Dinh durante el año Suu en el ciclo de Tet. Bajo el chaleco, la camisa empieza a humedecerse entre los trópicos de Cáncer y Capricornio. El celofán se arruga pero aún te protege los Marlboros (US Tax. Selected fine tobacco. Phillip Morris. Richmond) y peligra la foto de Catherine jugando a los zoológicos con el osito de peluche Mike, en el patio de Fresno, California. La orden es peinar los yerbazales en despliegue cerrado hasta lo alto de las colinas. Y vas cumpliendo con la precisión de quien ajusta los circuitos de una Texas Instruments. En otro caso, podrías pertenecer al Army, pero nunca a la Eighty Two Division -acción rápida, golpes eficaces y limpios en cualquier sitio del planeta-; no te hubieran transferido a Fort Bragg, North Carolina; ni Catherine podría pasar sus vacaciones de verano en el bungallow nuevo de Long Beach, donde el niño que fuiste apedreó los castillos de arena que hacía Raymond, tu enclenque primo profesor de Física Molecular y pacifista en Berkeley. Y los castillos se desmoronaban como hace unos momentos el edificio más macizo de Saint George's. Cuando volaron sobre ti los Intruders del Navy, colocaste el palito de roble que te acompaña siempre desde Da Nang, entre los dientes. Por muy lejos que ocurran, las explosiones dañan las membranas del tímpano y sonríes al pensar en un oficial del Army sordo. Entre la onda y el sonido pudiste imaginar el edificio más macizo de Saint George's atado a los ojos celestes de Ronald, el chico de Birmingham, a través del colimador. Y después ni siquiera imaginaste. La hierba se abre a veces en pedregales, se cierra en montoncitos de arbustos requemados y el osito Mike se convierte en una mancha que ya no puede jugar a los zoológicos con una niña decapitada por el sudor. A la derecha se escuchan los primeros disparos, pero a esa distancia son inofensivas explosiones de maíz convertido en rositas blancas bajo los ojos incrédulos de Cat, a la salida de Disneyland. Aquel día tuviste que caminar casi tanto como hoy, sólo que sin estas colinas por el medio para llegar a la ciudad y terminar por fin de jugar a la guerra con estos sons of a bitch que te jodieron la licencia de octubre. Treinta pies a la izquierda, Richard masca una hebra de hierba mientras apoya el AR-16 en la cadera. Fantoche de mierda -mascullas-, lástima no haya un tiro suelto que te haga tragar hierba con tierra y todo, para ver si mantienes tu pose de turista. Pero él no puede oírte y le queda aún demasiada yerba para mascar en los dos kilómetros y medio que faltan para trepar la última colina y ver la capital de este país entre los trópicos de Cáncer y Capricornio. Envidias un poco los ojos celestes de Ronald, tu único amigo en el portaaviones CV-62 «USS Independence», cerrados ahora para disfrutar mejor el frío de la cerveza que baja a sorbos gordos por la garganta. —Trabajo limpio de verdad; una línea perfecta ojo-colimador-edificio más macizo de Saint George's, buenos reflejos y a beber Valentine Beer (espléndida cebada de Missouri)—. Los aristócratas de la guerra —ironizas—. Si quieren aprender, que le pregunten a los infantes de marina o a los chicos del Army. Vuelan como funcionarios, apretando botones en sus oficinas del aire —sonríes feliz de tu idea—. Falta menos de un kilómetro y ya no queda nadie en el edificio más macizo de Saint George's. Los escombros vomitan seres despavoridos, que deambulan ahora por las calles o trepan las colinas, felices por lo menos de estar vivos. Pero no puedes saberlo. Tu cerebro borbotea dentro del casco, hecho con implacables aceros de Pittsburgh, sin contar con el sol entre los trópicos de Cáncer y Capricornio. A quinientos metros, en lo alto de la colina, debe correr un soplido de brisa, ahora que las hierbas parecen colgadas del cielo, erizada pelambre de la tierra. La hilera de hombres aprieta el paso con las primeras señales de viento y los últimos metros terminan en una carrera casi bulliciosa. Allá abajo permanece sentada la ciudad, como si Dios trajera las casas en un saco y hubiese tropezado al bajar la colina, desparramándolas en un orden de todos los demonios. La ciudad: frescor, sombra y cerveza. Él trepa la colina, derecho hacia ti, y estás a punto de verlo. Trae puesto aún el uniforme y hunde su mano en un morral recogido de cualquier sitio. Su piel conserva el olor pegajoso del miedo, que husmeaste en Fan Thiet un día de diciembre y te esperó después en Ca Mau, en Da Nang y tantosotros sitios que te ha hurtado el olvido. Su cabeza se bambolea un momento antes que los hombros emerjan y tus ojos tropiecen con su mirada lejana. STOP. Te mira desde el casco hasta la hierba que corta tus rodillas y sonríe. STOP. Se vuelve hacia ti con las palabras bailando entre los dientes: *Please, mister, buy my butterfly.* STOP. Camina como ofreciéndose. Rastreas en sus ojos la sorpresa y hallas un cielo húmedo, gaviotas que planean sobre los arrecifes. Sus ojos son mundos minúsculos donde hay niños, lloviznas y canciones. STOP. Don't you hear me? Como si no escuchara, hace ademanes de volar y dentro de sus ojos los niños revolotean entre flores. Puedes ver las alas, sus cuerpos estrellados de polen. *Please, mister, buy my butterfly. I change my butterfly for your smile. Smile, mister, smile!* Se acerca aún. *STOP, nigger, STOP!* No entiende las palabras que salen entre tu casco y el AR-16. Sigue vendiéndote sus mariposas a cambio de sonrisas; pero no tienes sonrisas que ofrecer. Y tras sus ojos corre el alisio, unas mujeres cantan mientras lavan sus sábanas a la orilla del río. *Please, mister...* Entonces te golpea el olor pegajoso de Ca Mau y Fan Thiet. El espanto a este hombre temible que cambia mariposas por sonrisas y no entiende la línea que une su corazón por el punto de mira-lanza-índice-de tu mano derecha; que viene a ti con los brazos abiertos. *Are you crazy? STOP, stupid, STOP! Please, mister, buy my butterfly* —casi grita. Y hunde la mano en el morral. Una mano que no logra salir sino después que el índice de tu derecha se hunde en su corazón a través de un rafagazo, después que el culateo ha roto la línea y un humo de pólvora quemada se empieza a derretir bajo la tarde. Un orificio negro se abre bajo el membrete en el bolsillo izquierdo: *SAINT GEORGE'S PSYCHIATRIC HOSPITAL.* El orificio por donde sale a oleadas la sangre, mientras el hombre permanece con su sonrisa congelada y los ojos abiertos, sin el más mínimo temor al sol que arde entre los trópicos de Cáncer y Capricornio. La sangre que rueda por la hierba hasta tus botas de Kentucky y que sigue rodando por la hierba como si hubieras abierto un manantial, que cubre ahora el llano y borbotea en la costa antes de hundirse, bajo el mar, antes de correr, indetenible, por las planicies y sobre las crestas del fondo. Sangre que contamina Long Beach, peor que los petróleos más tenaces, porque no puede ser barrida y avanza tierra adentro hasta que en Disneyland el Pato Donald intenta inútilmente enjugarse las manos. En los algodonales de Alabama, las motas crecen rojas, rezuman; y se paran las fábricas de Atlanta, mientras alguien no invente una tecnología para limpiar la sangre. Las Holstein de Denver se han cubierto de un herpe bermellón, y su leche inservible: sanguinolenta y espumosa. Porque la sangre avanzó hacia el centro oeste, descarriló los trenes, hizo del trigo panes coagulados. Y la cebada de Missouri sólo produce una cerveza que los hombres arrojan en los bares. Katy o Mary (¿quién sabe?) se salpica de sangre cuando hojea una fotonovela. Y nadie bebe Sprite ni hace el amor soñando con su artista favorito, porque los aceros de Pittsburgh han comenzado a salir de un rojo sospechoso. Porque ocurre —y eso no lo sabías— que después de oprimir el gatillo, después de hundir el índice en el corazón de un hombre que te propone: *Please, buy my butterfly,* entonces es demasiado tarde. Por eso lo último que ves, antes de hundirte, es una mano que emerge, como una isla sobre el mar de sangre. Y entre sus dedos, con las alas rotas, descansa aún la mariposa que aceptaste a ningún precio.

Imperfecciones

Aida Bahr

La abuela se suelta y anda por la casa, con las trenzas grises medio deshechas, a veces descalza, a veces desnuda; se escapa como arena en un reloj; tropieza con las puertas que no están donde ella espera, levanta las tapas de las ollas, amarra las cortinas con cordones de zapatos; escapa mientras puede, siempre puede, siempre escapa. La casa se alarga en pasillos mal cortados, los mosaicos se manchan o se alisan; siempre al final encuentra un espejo, aunque tenga que buscarlo en el cuarto donde duermen los que hacen el amor, o en el baño donde la ducha es lluvia tímida. Siempre que encuentra el espejo hay gritos, manos que la arrastran, protestas y maldiciones. Los espejos se vuelven negros huecos donde la abuela se hunde llorando -angustia infinita de no haber captado el reflejo-; pero la angustia pasa y vuelve el recuerdo, por eso se suelta y anda por la casa; provoca catástrofes cuando hay visitas; los pasillos la pierden y termina en el medio de la sala, toda desgreñada y triste llamando a Santos para que la rescate. ¿Y por qué no darle el espejo? Tal vez así se quede quieta en su cuarto, sentada acariciando el cristal frío. Aprovechar que nadie mira, que nadie ve cómo el espejo busca a la abuela esta vez. Ni ella misma lo nota porque está muy ocupada en zafarse, en liberar ese brazo que queda sujeto por el único nudo; Siente el espejo cuando lo tiene sobre los muslos, ese mínimo peso, óvalo de brillo que la sorprende y la llama. La mano libre lo levanta, asoma su rostro flaco y arrugado, los mechones canosos sobre la frente. Sonríe.

No nota cómo el nudo se desprende, no se admira de poderse levantar; lleva el espejo hasta la pared donde el clavo lo espera porque le pertenece. La abuela se aparta el pelo de la frente, desata sus trenzas muy despacio, endereza los hombros consumidos, sonríe. Llama: Santos. Con el pelo suelto se ve menos abuela, con esa forma de ladear la cabeza y entornar los ojos tiene algo de niña. Un casi temblor que la recorre y sus manos a punto de tocar los hombros dicen que espera que alguien se le acerque. Lo invoca: Santos. Primero es una sombra, después como una mancha, el espejo crece y se redondea; ella se peina y sus manos desaparecen bajo la oleada negra que todavía conserva surcos en la trenza. Lo presiente antes de oírlo; su piel lo huele y se eriza; Santos esta detrás y va a abrazarla; emerge del espejo, la envuelve como si la vistiera, la obliga a arquear el cuello con sus besos, a derramarse en un torrente de susurros que se oyen Santos, Santos, aunque no lo diga; el cuerpo vibra ante el espejo, se agita entre los brazos de Santos, se vuelve... se vuelve... ¡Santos! El espejo está preso por el clavo en la pared. ¡Santos! Es un aullido que enloquece. La abuela es vieja y arrugada y busca frenética, tumba el sillón y la mesita, choca con la cama y se cae, arranca las sábanas, se convierte en un solo grito sin pausa hasta que la agarran, la sacuden, la levantan, la tiran en la cama. Se deshace en sollozos sin lágrimas, sin sonidos, puro gesto que busca su reflejo. La abuela es una mueca de dolor infinito. El espejo era fijo y muy pequeño.

Abelardo y el radio

Félix Luis Viera

En El Barrio cualquiera puede convertirse en un ca nalla puro, líquido, exacto. Aprender la técnica de canalla en El Barrio es muy fácil, sobran opciones, fuentes donde nutrirse, ejemplos a flor de vista. Por eso hay que tener los ojos bien abiertos con los muchachos, dice mi viejo.

Abelardo Cofia puede convertirse en un canalla, de continuar así.

Abelardo Cofia es el príncipe de la trampa, creo que de nacimiento; es también avaricioso como un pobre que no se resigna. Por eso digo que, cuando sea grande, puede resultar un hombre canalla, porque tiene dos condiciones especiales: el deseo —inagotable— y la habilidad para engañar y el deseo —inagotable— de tenerlo todo para él, de tener, quiero decir, todo lo poco nuestro que aquí en El Barrio pudiera juntar, para él.

Yo, como casi todos, me desvivo odiándolo; pero sólo a veces, cuando me clava una de sus jugadas. Después lo olvido, o se me olvida, que es más exacto, y sigo de amigo. O sea, que yo no lo odio a cadena perpetua como muchos otros del piquete; y eso me alegra porque odiando se empieza también a ser un hombre canalla, dice el viejo.

Abelardo Cofia también me tiene roña a mí, yo no sé si siempre o cuando le hago morder la tierra después que me ha trampeado y reventamos la pelea. Pero sí sé que me tiene porque lo ha dicho al grupo y alguno me lo dice diariamente. Además, él y yo sabemos lo que uno guarda para el otro: un buen tramo de rabia. Eso lo sabemos, lo comprobamos en la gesticulación cuando nos contamos una película, en las discusiones más leves, en las palabras que uno atraviesa, como si no quisiera, en la conversación del otro, cuando nos reunimos, noche por noche, junto al poste. Por eso Abelardo Cofia —yo lo he visto— ha sonreído cuando a mí me ocurre algo como caerme de cabeza rastrillando la tierra con el pellejo de la cara o recibir un chapazo en un ojo; y yo, aunque no he sonreído, no he despreciado mirarlo cuando le ha ocurrido algo parecido.

Como Abelardo Cofia es egoísta, es decir, que todo lo quiere para él, y es además el príncipe de la trampa de nacimiento, tiene en estos momentos casi cincuenta tapas de Leche Pasterizada La Vaquita, que son billetes de a cien jugando a la baraja, y tiene además cinco bolsas de bolas, hinchadas a todo lo que dan, bajo la mesita que en la sala de su casa aguanta al radio inmenso, casi del tamaño de nosotros y tan pesado como un hombre gordo, que según dicen es el orgullo mayor -no sé por qué- del padre de Abelardo.

Cuando yo he perseguido a Abelardo Cofia —suelta toda mi furia después que él me ha encajado una trampa— y se ha tirado corriendo en la sala de su casa, atravesándola conmigo detrás, yo he querido (¿he pensado como un canalla?) que al correr junto al radio, que está a dos o tres pulgadas del paso para el cuarto, lo roce duro, con el hombro, y se vayan los dos al suelo, él abajo.

Sin embargo, ahora dudo. Hace no sé si 15 ó 30 segundos que dudo; desde que ocurrió aunque en realidad no tengo una idea exacta del tiempo transcurrido. Abelardo Cofia tiene el radio, inmenso, como un hombre gordo, encima, sobre su hombro izquierdo. Abelardo Cofia tiene una disyuntiva cerrada: si quita el hombro el radio irá al suelo por su propio peso porque no tendría tiempo, partiendo de esa posición, para hacer un giro y abarcarlo ni tendría fuerzas para retenerlo él solo; y entonces el padre le haría comer, despaciosamente, el polvo de los bombillos y la gran caja barnizada; y si no quita el hombro, el radio, su peso, lo irá venciendo poco a poco y se irá con él al piso, él abajo.

Abelardo Cofia entró corriendo a la sala, conmigo detrás. Veníamos a esa velocidad ciega que produce la furia, en mi caso, y el temor, en el de él; el temor a que yo lo agarrara por el cuello y lo hiciera mascar la tierra. Cuando fue a girar para meterse en el cuarto y seguir hacia el fondo de la casa, resbaló, se fue de pecho, y en pleno despliegue trató de dar una vuelta para evitar la mesa, pero no logró realizar el gesto íntegramente y la enfiló de espalda, de manera que sólo tuvo tiempo —cuando trató de incorporarse, en pleno movimiento, con un gesto que no pudo afinar del todo, si no más bien intuitivo— para esquivarle el rostro al radio que venía hacia abajo y meter el hombro izquierdo; y quedar así, encorvado, casi agachado, como si fuera a volcarse en cualquier momento hacia el lado que lo empuja el gran cajón barnizado, macizo.

¿Por qué venía persiguiéndolo?

Dos o tres minutos antes había descubierto su última trampa fabricada para mí, hasta ahora. De la manera siguiente:

Abelardo Cofia puso el quilo por la cara del escudo, lo puso un poco más cerca de lo que está en nuestro mercado actualmente. Esto me llamó la atención pero desde la posición de tiro, encima de la acera, me fijé bien y vi que no había truco: el quilo estaba suelto, recostado sobre una piedrita, como marca el reglamento; y comencé a tirarle. Y enseguida afiné la puntería y empecé a darle, a darle y el quilo volaba constantemente cuando una bola lo martillaba, pero caía, lamentablemente, otra vez por la cara del escudo. Y él volvía a ponerlo reclinado sobre la piedrita, sabroso para encentrarlo y volvían las bolas cada vez más precisas a morderlo por los bordes —por donde se les da para que salten mejor— y el quilo a volar, volteándose en el aire, infinitamente, y caía escudo. Y Abelardo a ponerlo y a ponerlo y yo metía la mano en mi bolsita y ya tocaba fondo. De modo que mis bolas se acababan y el quilo no caía por la cara de la estrella y el piquete comenzó a exaltarse porque yo soy el mejor, el de más puntería, en el juego del «virao» y en cualquier juego de bolas. Y el piquete se puso detrás de Abelardo Cofia, se fue cerrando detrás de él, para disfrutar mejor mi quiebra; y fue entonces cuando me llevé la primera señal de que algo andaba mal, que algo sucedía más allá de lo previsto, fue entonces cuando olfateé que Abelardo Cofia tenía una jugada escondida, porque uno, cuyo nombre no voy a hacer público porque así podría conseguir para él el inagotable manantial de trampas de Abelardo Cofia, me hizo una mueca, no una mueca franca y abierta, sino a media cara y casi mirando a otra parte, pero suficiente para sospechar y correr hacia él, convencido de que me había trampeado; correr hacia él por lo tanto con un buen golpe preparado, agarrarlo por la mano que había apresurado a recoger el quilo y comprobar que tenía escudo por las dos caras.

¿Cómo consiguió un quilo con escudo por las dos caras?

Abelardo Cofia confesó, sin soltarle la muñeca: había recortado un quilo exactamente igual, con dimensiones y color semejantes al verdadero, retratado como anuncio en una revista, lo había pegado al quilo sonante por la cara de la estrella, había emparejado ambas caras pasándolo por churre, por tierra, le había dado, en fin, mundo suficiente para que pareciera un verdadero quilo por la cara falsa. Y así supe que casi todas mis bolas habían pasado para la bolsa de Abelardo Cofia jugando contra un quilo que jamás caería estrella; y apenas terminó de relatar, sin soltarle la muñeca que le fui apretando mientras hablaba, le envié el golpe que le traía preparado y que fue creciendo y fui estudiando durante su confesión, pero él con la exactitud que lo representa en el mundo, lo esquivó y me fui con el puño al aire, y el cuerpo al suelo mientras él soplaba rumbo a su casa; pero ahora —debo ser honesto para no adentrarme por uno de los quince mil caminos por los que se llega a ser un canalla—, Abelardo Cofia: no se rinde, se mantiene sereno con el radio (que lo va llevando hacia abajo milímetro a milímetro) sobre el hombro izquierdo; y trata con una mano, con la otra, con las dos, pero no puede abarcar la gran caja desde esa posición, no puede, ni tiene espacio suficiente entre su cuerpo y el suelo para realizar un viraje rápido y agarrarlo contra el pecho, de rodillas, ni tendría fuerzas para recibirlo así e incorporarse con él. Abelardo Cofia sigue frente a su disyuntiva: si quita el hombro el radio irá al suelo y entonces el padre seguramente le hará comer, despacio-samente, el polvo de los bombillos y la gran caja barniza-da; si no quita el hombro, el radio, su peso, lo irá vencien-do poco a poco y se irá con él al piso, él abajo. Pero, para serle justo al tramposo, no dice nada, no se queja. Lo miro de espaldas: charquitos de sudor en la camisa. El trata de mirarme, lo sé porque a veces intenta mover el cuello ha-cia atrás, hacia donde sabe que estoy. Pero no me pide ayu-da, no habla, no se queja. Sólo resopla a cada rato y sigue tratando de mantener la fuerza y el equilibrio que, lenta-mente, van aflojando, porque el radio tiembla a veces más, a veces menos, y Abelardo Cofia así, agachado, lucha por retenerlo firme en el hombro izquierdo; cimbra levemente al compás de las intenciones del radio; tiemblan los dos. La camisa de Abelardo Cofia almacena más y más sudor, el radio tendría ganas de resbalar por la tela húmeda; al fin doy un paso, pero no sé qué hacer, desde que estamos así, hace quizás tres, cuatro minutos, dudo, aunque en realidad no tengo una idea exacta del tiempo transcurrido; tampoco Abelardo Cofia sabe qué hará: si quita el hombro, o no; repaso con la vista, punto por punto, su espalda, que se va doblando, que continúa aflojando, lentamente; él, Abelardo Cofia, el príncipe de la trampa, el insaciable, el avaricioso, visto así tan mansito, tan sudado, tan imposibilitado para un gesto, para una carrera, para una mentira, y me acuerdo del viejo: en El Barrio cualquiera puede convertirse en un canalla puro, líquido, exacto, ¿qué hago?

El estadio

Arturo Arango

En el estadio, debajo de las gradas, hay un pequeño kiosco donde se venden cigarros, tabacos y fósforos. Su mostrador de cristales forma una herradura frente a la escalera principal de acceso a los palcos, lo que provoca que todo el que está viendo el juego pase por allí en algún momento de las dos horas que suele durar un partido de beisbol, pero la humildad de su venta lo condena a ser solamente eso, un lugar de paso. El individuo que se ocupaba del kiosko debía tener poco más de cincuenta años y estuvo en él desde el principio, cuatro veces a la semana durante los largos campeonatos, siempre solo, amable cuando alguien se detenía para comprar.

A este hombre le gustaba la pelota. Aun más: la pelota había sido la pasión de su juventud, a ella le había dedicado sus sueños más constantes, y sólo abandonó la idea de ser una estrella de las Grandes Ligas cuando se dio cuenta de que era más pequeño y débil que la mayoría de los que junto a él dedicaban las tardes a destripar pelotas en el terreno de su barrio. Luego comprendió que tampoco era el más rápido de todos, y menos aún el más despierto, así que poco a poco, en la medida que avanzaban los años y él dejaba de ser un adolescente, y luego un joven, sus aspiraciones fueron decreciendo. De todas las virtudes que le eran necesarias, él se sabía en posesión sólo de dos: la constancia y la fe. Por eso, mientras los demás, los dotados, abandonaban la pelota para dedicarse a vivir de oficios más cercanos a sus vidas, todavía pasados los veinte años él creyó en la posibilidad de llevar un uniforme de franela, calzar unos spikes y jugar en un terreno de verdad, no en el pedregal que había marcado sus rodillas para siempre. Quizás pudo hacerlo bien: ya sabía lo suficiente como para jugar con corrección y su brazo le hubiera permitido ser el right fielder que buscaba un club local. Pero esa fue su última ilusión de juventud. La vida era menos dominable de lo que él había previsto y su padre, ya envejeciendo e incapaz de llevar sobre sí el peso de varios negocios, decidió que él debía comenzar a ocuparse de la bodega. No era un esfuerzo demasiado grande: en la misma esquina del caserón de madera donde vivían estaban las estanterías y el pequeño almacén que había sido el primer reino de su infancia.

Por eso cuando, muchos años después de aquella tarde en que fue a devolver el uniforme con su número (el 4) y los spikes que ya había lustrado, le ofrecieron que atendiera el kiosco del estadio que acababa de ser inaugurado, sintió que recibía una pequeña y tardía, pero tangible compensación por sus sueños de juventud. De alguna forma, aquella bodega era la responsable de que él ahora pudiera ser parte de un estadio de verdad, como nunca lo imaginó: una mole de hierro y concreto capaz de tener dentro de sí treinta mil personas, atentas a lo que estaba pasando sobre un césped perfecto, irreal bajo las luces de mercurio.

Él ahora formaba parte del estadio, era una pieza suya, una pieza viviente y, de alguna manera, imprescindible. Pero el juego, la tensión, le eran ajenos. Él estaba allí abajo, solo, viendo a la gente subir y bajar por la escalera que establecía su única comunicación con el terreno, y nada más. Cierto que fue amigo de peloteros, managers y árbitros que pasaban a conversar con él, a contarle cómo había sido el juego, lo bien o lo mal que habían estado, las injusticias de que habían sido víctimas, y él podía medir el alcance de la gloria de aquellos hombres por la cantidad de muchachos que se reunían en torno a ellos, admirándolos, tocando el guante o la careta que ahora, en la cercanía, se hacían reales.

Pero luego volvía la soledad, una soledad rodeada de miles de personas. Así, solo, recostado al cristal de su mostrador, el hombre descubrió que además de la escalera había algo más que lo vinculaba al terreno. Un juego de pelota se convirtió para él en una sucesión de sonidos que fue descubriendo, identificando, aislando unos de otros, encontrando la infinidad de variantes que podían ocurrir. Por ejemplo: un golpe seco, metálico, del bate sobre la pelota (aunque, en realidad, solo él podía haber dicho, de entre los muchos golpes posibles, si este es el correcto para el ejemplo), una exclamación breve y explosiva del público (de nuevo solo estaremos especulando: ese enorme coro tiene incontables maneras de manifestarse) podían significar un hit sin hombres en bases. Primero, para asegurarse, se auxilió de las personas que aparecían por la escalera. «¿Fue un hit?», le preguntaba al primero en bajar luego del golpe y la algarabía. «¿Lo cogieron en segunda?», al que venía cabizbajo después de que un murmullo desaprobador llenaba el estadio.

Al cabo de dos o tres años aquellos sonidos tenían pocos misterios para él. Ya la impaciencia por estar inmerso en el corazón del estadio, sometido a los sobresaltos que el azar y la pericia o la voluntad de los demás provocaban en los espectadores, fue desapareciendo, porque se había apropiado de otra manera de estar en el juego. Sus observaciones llegaron a hacerse tan sutiles, que a las personas que iban al baño o en busca de caramelos para sus hijos, no les extrañaba que aquel viejo que parecía dormitar echado en su taburete les comentara: «si no pichea más bajito no llega al tercero», o «ese muchacho nunca corre cuando batea de flay».

Ese, sin embargo, fue sólo el primer paso. Es verdad que de allí extrajo no pocos de los consejos que dio al mayor de sus nietos cuando éste se cogió en serio la pelota, como a él mismo le gustaba decir. Pero fue uno o dos años antes de que el muchacho llegara al campeonato grande cuando comenzó a darse cuenta de que sólo había descubierto una parte muy pequeña de lo que el estadio le estaba ofreciendo.

La primera relación la estableció casi por azar. Los que protestaban con una agresividad no usual por la falta de fósforos en su kiosco venían molestos por razones de mayor fuerza: el equipo local estaba siendo apaleado. Él soportó estoicamente la indignación de sus usuarios durante dos días, pero al tercero, molesto él mismo más de lo que su edad le aconsejaba, se decidió a desenhebrar un enredo de camiones y de turnos, y logró que para el fin de semana todo en su kiosco estuviera en orden. Pero sus clientes habituales apenas advirtieron el cambio: bajaban demasiado exaltados por la paliza que su equipo le estaba dando a los líderes del torneo.

El viejo no lo pensó en serio. Sólo para entretenerse, porque la sucesión demasiado regular de escándalos y silencios que le llegaba esa tarde era simple, aburrida, le dio vueltas a la idea de que algún enlace debía existir entre los fósforos y la suerte de su equipo.

Ya cuando esa ocurrencia tonta, inocente, estaba ganando fuerza en la cabeza del viejo, comprendió de nuevo que sólo estaba descubriendo pedazos, señales dispersas: el equipo estaba ahora en racha adversa, definitiva, y su mostrador permanecía impecable. Y si la primera vez lo asumió como un entretenimiento de menor importancia, ahora se sentía desafiado, burlado por recibir sólo una señal tan pequeña y equívoca. Noche tras noche, tarde tras tarde, el viejo se dedicó a observar con atención mayor cuanto ocurría en ese universo cerrado que pocos podían contemplar como él, desde la calma y la meditación.

Primero, como era de suponer, buscó sucesos excepcionales, carencias visibles, como la de los fósforos, pero no tardó en advertir que por ese camino sólo recibiría las evidencias más groseras, y que no tenía por qué despreciar otros medios más sutiles que lo llevaran a descubrimientos de mayor importancia.

Fue entonces que la palabra universo vino una y otra vez hasta él. Si el estadio era un universo, pensó, ninguna de sus partes podía ser desechables. Sólo alguien como él, habituado a cumplir sus labores sin dedicarles el menor esfuerzo (vender había sido su único oficio durante más de treinta años) y dueño de los sonidos que hacían saltar o inquietarse a los demás, podía atender con tanto rigor y tanta pasión a la vida del estadio. Un parpadeo de la luces, la enfermedad de un atleta, una cola inusual en la pizzería, tres papeles lanzados por distintas personas que rodaban hasta el mismo escalón, un descenso apreciable en la cantidad de público: todo fue importante y de todo se apropió el viejo.

He dicho mal: no se apropió de todo, sino de sus relaciones. El viejo era un ser excepcional: había en él una intuición, una sensibilidad capaz de apresar sólo en ese nivel que algunos consideran primario las relaciones que se iban estableciendo ante él. Pero esa misma precariedad fue lo que le permitió llegar al final, no ser detenido por la resistencia de lo inabarcable.

Al viejo, por eso, nada más se le presentaban conclusiones, alegrías de lo definitivo. Ya cuando estaba por terminarse el campeonato, atrapado en la euforia de los que entraban al estadio para ver cómo su equipo discutía el primer lugar, sintió la tristeza de que las cosas no andarían bien. «No hay remedio», concluyó luego de media hora de atención, de lectura. Porque eso era lo que el viejo hacía: leer el estadio, el universo cuyas leyes había, por el momento, desentrañado.

Ser dueño de esas certezas no fue fácil para él. Estaba obligado a ocultar su pesadumbre a los que, todavía en el primera mitad del juego, bajaban a refrescarse, esperanzados en una reacción del equipo que era prometida por la euforia de los narradores radiales. Por momentos, el viejo se sentía transparente, seguro de que había conquistado algo que estaba desde antes en poder de miles de personas. Una sonrisa por parte de un desconocido, un saludo esquivo de uno de los pocos amigos que lo visitaban, la parecían signos de un mismo lenguaje que hacía visible su descubrimiento.

También, juego tras juego, había llegado a conocer la trama de apostadores que se movía en el subsuelo de ese universo. Descubrió sus señas, supo de peloteros vinculados a aquel negocio que le resultaba asqueante como ningún otro, veía con placer los ojos asustados de los que se pensaban descubiertos al ser abordados por alguien que no quería más que preguntar la hora. Aunque estaba al tanto de los intercambios y las anotaciones y podía asegurar quiénes controlaban el tráfico, cuáles eran sus mensajeros y guardianes, había decidido no delatarlos porque consideraba injusto usar contra ellos lo que el azar o la naturaleza le habían dado como ventaja. Pero, al mismo tiempo, no dejaba de sentirse acosado por la posibilidad de que alguno de ellos compartiera su secreto, de que llegaran a él por caminos tan insospechados como los que él mismo había seguido, y le exigieran una colaboración que les resultaría inapreciable.

Ese campeonato concluyó con mayores angustias, porque las esperanzas por la victoria de su equipo terminaron en un desastre total. Quizás, llegado ese tiempo muerto del beisbol, sea el momento de decir que por lo demás la existencia del viejo era tranquila, común: una mujer trabajadora y obediente, tres hijos por los cuales no sufrió sobresaltos mayores, una casa segura. Si algún acontecimiento alteró durante estos años la paz de estas personas fue la posibilidad de que al fin el nieto ingresara en el equipo que trataría de conquistar el próximo campeonato. Durante varios meses cientos de miles de personas estarían pendientes de lo que él fuera capaz de hacer: irían al estadio a aplaudirlo o a chiflarlo, saltarían por él frente al televisor, discutirían en las esquinas sus aciertos y su futuro.

«Este sí», le decían al viejo sus antiguos amigos, y él les sonreía para ocultarles la única inquietud de su vida. Porque ahora, con su nieto en el terreno, al viejo le obsedían otras posibilidades: si todo sucedía de acuerdo con un orden de relaciones, ¿no sería posible gobernar ese orden, imponer sobre él la voluntad humana?

Fue mucho más difícil que todo cuanto había alcanzado hasta entonces. Sus primeras pruebas fueron cautelosas: optó por desordenar el estadio sólo cuando ya estaba seguro de que el resultado le era adverso, pero ni siquiera así podía salvarse de los peligros del azar. Después él mismo habría de burlarse de la puerilidad de esas acciones: esconder durante una semana los cigarros suaves, cambiar de lugar los latones de basura. Pero a veces, cuando las consecuencias resultaban desafortunadas, lo llevaban muy cerca del arrepentimiento. No era fácil para él cuando, finalizado el juego, veía venir al nieto, cabizbajo, avergonzado por sus dos ponches ridículos que se comentarían al día siguiente en las cuatro esquinas del parque.

El campeonato terminó sin que el equipo mejorara lo que la prensa había acuñado como «una discreta actuación», y su nieto ya no era de las «seguras promesas» que debían cambiar la fatalidad a que parecía condenado aquel club. El viejo pasó el tiempo entre uno y otro campeonatos sumido en un ensimismamiento que sus familiares atribuyeron a los trastornos de la edad. «Ya no es el mismo», repetía su esposa cuando alguna visita de confianza le hacía notar los silencios prolongados, las respuestas distraídas, la fuga de una mirada que antes era vivaz y escrutadora.

Esos silencios lo habían llevado a varias conclusiones en lo absoluto desdeñables: el universo al que le había sido concedida la posibilidad de ingresar era alterable, pero si bien su trabajo le permitió en un inicio la contemplación, el aislamiento excepcional, en lo adelante su inmovilidad le impedía actuar de la forma que le era necesaria. Bajo los cristales de su mostrador no estaba la llave de los cambios que buscaba.

Al comenzar la serie, con el pretexto de que en un estadio no era procedente incentivar el hábito del cigarro, logró que el kiosco cerrara a las diez. Después, con un termo de café y un cinturón con vasitos de papel, podía pasearse por todo su universo. Sólo el terreno le era vedado. Algunos de los juegos iniciales habían sufrido giros inexplicables que hicieron sospechar a las autoridades que las redes de apostadores estaban minando el interior de ciertos equipos. Un apagón de quince minutos provocado por un gato que interrumpió el circuito de la corriente trifásica, unos cólicos repentinos del árbitro principal, la inundación de los baños para hombres: experimentos en busca del último paso: imponer no cambios aleatorios sino transformaciones dictadas por su voluntad.

Alcanzado este punto, no hay que culpar al viejo de sus próximos errores. Había llegado más lejos de lo que pudo suponer en los primeros días, cuando todo era un juego de sonidos y adivinaciones. La intuición tiene sus límites y el viejo dejó de atenderla, de guiarse por ella. Sentirse cerca de una totalidad suele ocasionar impaciencias, desgastes que a él le fueron difíciles de soportar. Ahora, sobre todo, trataba de razonar, de establecer re-

123

glas que le permitieran comprender los últimos resortes que aspiraba poseer.

Así estableció pares de acción. El primero de ellos estaba referido, digamos, a la funcionalidad del estadio: afectar todo aquello que había surgido no como necesidad del juego, sino por las imposiciones de su espectacularidad, afianzaba el rumbo que hasta ese momento llevara el partido. Si las alteraciones, en cambio, ocurrían en el propio ser del estadio (una humedad excesiva del terreno, la rotura de una almohadilla), entonces el resultado variaba de forma drástica. Luego, esa polaridad le resultó insuficiente: estaba referida sólo a generalidades, y aquí el viejo pudo haberse dado cuenta de su error, porque, contradictoriamente, los segundos pares de acción que estableció eran, si ello es posible, más abstractos que los primeros: lo seco, lo apagado, lo lento, por una parte; por la otra: lo húmedo, lo encendido, lo rápido. Pero ya en estas condiciones al viejo le era muy difícil saberse en dominio de la adversidad o la fortuna.

Una noche las cámaras de televisión primero, y luego cerca de quince mil personas, descubrieron una fogata enorme que crecía detrás del left field: se quemaba un basurero cerca del cual, cuando las llamas apenas comenzaban a ser sofocadas por los bomberos, caía la pelota bateada por su nieto con dos hombres en bases y una desventaja que parecía insalvable. El viento, crecido repentinamente, dio una fuerza inesperada a la candela, cuyas lenguas ascendieron paralelas a las torres de iluminación, y fue aconsejable apagar las luces y detener el partido hasta que el incendio fuera reducido por completo. Poco después de reanudarse el juego, un roletazo que debió haber servido para doble play se fugó entre las piernas del joven, y el viejo sintió que los chiflidos que atronaron el terreno eran dirigidos contra él.

Pudo ser su último intento. A su lado, de regreso a la casa, iba el muchacho con el bulto del uniforme y los spikes colgándole del cuello, y él estuvo a punto de pedirle perdón y dejarlo abandonado a su propio destino. Atrás de ellos, en silencio, dormía la enorme mole de concreto y acero, y el viejo se volvió varias veces a verla, como si ahora ese silencio le estuviera hablando. Su intuición había vuelto a despertar.

En lo sucesivo ya el viejo no hizo experimento alguno. Mientras iba por los pasillos de los palcos vendiendo café se dedicaba no a pensar en lo que estaba ocurriendo, sino a sentirlo, y así cada una de sus acciones futuras fue tan firme como creciente: ahora el estadio era quien lo obligaba a flojar los clanes de las ruedas traseras de un ómnibus que aguardaba en el parqueo, quien lo inducía a cortar los cables de la cabina de transmisión o lo hacía tirar al terreno los perros que detenían el juego mientras los árbitros cometían el ridículo de perseguirlos.

Si al principio las autoridades del estadio se pensaron víctimas de adversidades inevitables, ya en estos tiempos estaban convencidas de que una banda de elementos antisociales se quería interponer en el desarrollo del deporte nacional. El viejo lo supo, y de igual forma burló vigilantes ocultos, cuyas guayaberas le resultaban tan transparentes como el uniforme rojo de su nieto.

Hay que ser justos con él: la noche del accidente del ómnibus permaneció en la puerta del hospital hasta saber que el chofer y los cinco pasajeros estaban fuera de peligro. Y sus remordimientos le hicieron esperar tres juegos (dos derrotas para el equipo: la ventaja en el primer lugar le permitía esos lujos) antes de dejar en la escalera del baño la cáscara con la que habría de resbalar el entrenador de picheo. La escalera era empinada, el entrenador no era joven y la rotura del fémur de seguro lo marcaría con secuelas.

«¿Soy Dios?», se preguntaba el viejo cada vez que llegaba al estadio aún vacío. «¿Soy lo que otros esperan de un dios?», se repetía frente a la grama verde, a la arcilla recién barrida, al vacío sobrecogedor que lo hacía padecer como nada su responsabilidad. «Solo en parte», se respondió la noche en que el estadio le dio una orden implacable: «El equipo ganará si tu nieto no participa en el juego final». Nada era más fácil para él, y nada tan injusto. Sólo podía escapar de la orden actuando contra el juego, pero a esa escala casi todo estaba fuera de su poder: la lluvia, la guerra, las catástrofes ante las que se empequeñece lo que ocurre en un estadio.

Olvidó que lo que estaba haciendo iba contra su intuición (pero ya advertimos que esta tiene límites), contra las propias leyes que había descubierto y dominado. Por eso el juego comenzó con un poco de retraso: fue necesario separar su cadáver de los cables que meses atrás habían carbonizado el cuerpo de un gato. Sólo al día siguiente el nieto supo que pertenecía a un equipo de campeones, pero en ese momento no se sentía con ánimos para pensar en la gloria.

Kid Bururú y los caníbales

Mirta Yáñez

para Sergio Baroni

Empecé a cumplir los cuarenta años apenas unos segundos después de las doce, con el sonido peculiar de la tecla de la grabadora. Muy bajo, para que los niños no se despertaran se escuchó *Strawberry Fields Forever* que inundaba la habitación, las sábanas y todos los recovecos que tiene uno por dentro.

—Este es el primero de mis regalos —dijo Marcelo.

En la madrugada me despertó otro ruido conocido. Marcelo estaba fajándose con el automóvil, tratando de echarlo a andar. La ventana abierta me permitía ver, desde la cama, cómo se manchaba la inmaculada bata con la grasa sucia del motor. A esa visión descorazonadora, se superponía la de los niños, de pie en mi puerta, con una rigidez artificial y cómica, cantando *Las mañanitas*.

—Toda la tropa de pie y en guagua hoy —gritó Marcelo, al tiempo que pasaba como una tromba marina por el pasillo. Se detuvo un momento y preguntó:

—Me llevo a los niños, ¿y tú qué vas a hacer con el día libre?

Me rompí el cerebro pensando.

—Entrevistar a una tribu de caníbales, componer una oda, viajar hasta Marte —contesté finalmente.

Marcelo movió la cabeza de izquierda a derecha con aire incrédulo y dijo

—Bueno, pero regresa temprano.

Cuando se fueron recogí las colillas que se habían acumulado en el cenicero durante la noche y las eché al cesto, tendí la cama y luego me puse un pulover y un *blue jean* que daban la impresión de haber resistido, por lo menos, desde la Primera Guerra Mundial. Me asomé a mirar la calle. Vi un sol flojo y unas nubes que transitaban con aspecto coioso y dulce, así que lo medité un poco y decidí hacer un recorrido especial: de arriba abajo, desde el paradero hasta su terminal, la ruta completa de la guagua *diecinueve*. Todos los años de estudiante, el primer amor, las visitas a la abuela en la calle Reina, la Cinemateca, el matrimonio con Enriquito, la carrera, el trabajo en el hospital, mi vieja vida subiendo y bajando de la guagua *diecinueve*.

Hasta la primera parada fue una buena caminata. La había hecho otras veces. Uf, hoy me acompañaban veintidós rayitas alrededor de los ojos (patas de gallina en lenguaje franco), que en aquel entonces no tenía. El inventario se completa con unas libras de más y varias caries. Pero lo inquietante era la falta de aire. Así que esa fue la pregunta formal número uno que me hice, mientras esperaba la llegada de la guagua: ¿cuánto cambia uno a la vuelta de algunos años? La vez que murió el gato Robin pensé que había tenido conciencia del día exacto en que terminó mi juventud. Me empezaba ya a preocupar cómo descubrir a tiempo la primera jornada de la vejez.

La guagua también había cambiado lo suyo. Ahora era un carro azul, recién pintado y con los guardafangos relucientes. Tenía un aire resistente, aunque confieso que prefería las otras, aquellos cacharros que parecía que se iban a desarmar de un momento a otro, con las ventanillas rotas, goteras y un ruido pavoroso que escapaba de sus entrañas. Las antiguas diecinueves de mi adolescencia tenían algo vivo. Cuando asomaban la parte delantera por la calle Zapata, siempre se me figuraba el hocico cauteloso de un animal antediluviano. Quizás, como ellos, hayan ido a parar a algún osario secreto después de tanto zarandear por las calles de la Habana.

Me senté junto a la ventanilla de la derecha en la última fila. Tuve algunas dudas, mas por fin me incliné por la derecha. Ya se verá por qué. Después que sale del paradero, lo primero que llama la atención es la Ciudad Deportiva y la Fuente Luminosa, me quedaron a la izquierda y por eso tuve que estirar un poco el cuello para ver a los muchachos, con sus *shorts* y los monos azules de entrenamiento, corriendo por la pista y, más allá, a la parejita que enamoraba en el *Bidel de Paulina*. Ya ni me acuerdo quién habrá sido Paulina, pero me imagino que haya tenido un trasero lo suficientemente meritorio como para que la fuente se ganara ese apodo. Son cerca de las once de la mañana y tuve que reprimir el deseo de encender un cigarro que me llegó con la primera avalancha de recuerdos. Tal vez fuera por la quietud y el frescor del aire que me acordé de las madrugadas preparando los exámenes de la carrera, con toneladas de café, cigarros y galletas con mantequilla. Anoté mentalmente que no velaba una madrugada con el intelecto funcionando a millón. Otro mal síntoma, me dije.

Los viajeros de este primer trayecto suelen ser muy tranquilos. Les observé las caras y me puse a jugar a las adivinanzas: deportistas, enfermos que regresan de la consulta en el Hospital Clínico Quirúrgico, viejitas en sus visitas de rutina al cementerio. Llena o vacía, la guagua diecinueve va silenciosa hasta que desemboca en el Zoológico. El parque me queda, por suerte, a mi mano derecha y puedo verlo a mi antojo, a pesar de la cerca y la vegetación. Claro, desde la calle no alcanza la vista hasta la jaula de los leones, pero si me pongo dichosa pudiera distinguir algún ruido sobre el runrún del tránsito. Embúllate, leoncito, que hoy es mi cumpleaños. La guagua disminuyó la velocidad y frenó por fin en la parada del parque. Sólo entonces me llegó el inconfundible sonido del ronquido desvelado, peligroso. Dejé que me asustara un poco, como en aquella noche iniciática que dormí con Pavel y los leones nos despertaron antes del amanecer.

A partir de ahí, la *diecinueve* se llenó de niños y también de la muchachada joven que iba camino de la Universidad. Un grupo de cinco o seis, tomó cuenta de mi *blue jean* desteñido y rieron por lo bajo. ¡A esa edad se sienten tan lejanos los cuarenta años! Creo que deben haber comentado el traje que seleccioné para escaparme del asilo de ancianos.

El tramo de Nuevo Vedado se reducía a un tiempo muy corto, pero refrescante, mientras dura la Avenida Veintiséis tan ancha y con esas curvas de montaña rusa. Uno de los muchachos encendió un radio portátil: entran los acordes de una trompeta (o acaso el saxo), después de los *Oh Oh* alargados, hasta que irrumpe la voz del Benny que dice *Vida si pudieras* (pausa) *vivir la feliz emoción*. ¿Me hace esa pregunta a mí? Será capaz el corazoncito todavía de latir con fuerza. Lo oigo, siento que me va a rajar el pecho, trago seis veces seguidas para no hacer un papelazo. Menos mal, menos mal.

Después la guagua cogió la calle Zapata por todo el costado del cementerio. Miré para adentro y allí me vi, en el entierro de la abuela o las tardes que iba a estudiar con Pavel en los bancos sombreados. Fulanito, Zutano, Melgarejo, leo las lápidas aprisa y casi sin advertir que repetía la costumbre de tantos años atrás.

Cerca de la esquina de 23 y 12 se apean las viejitas, y sube un montón de pasajeros muy variados. Es casi mediodía, y estos son los que van corriendo para almorzar en la casa y regresar en dos minutos al trabajo. Allí empieza un murmullo distinto que va creciendo según la guagua atraviesa El Vedado. Este fue siempre el barrio que más me gustaba, sobre todo los domingos, que toma un color diferente al resto de la semana. Antes de salir del Vedado, la *diecinueve* pasa por los hospitales. Poco a poco, la guagua se ha ido rellenando de calor y de gente. El viaje iba dejando de ser un paseo. Noté un cambio en los rostros. Ensimismados o con preocupación que en parte podía suponer, mostraban cierta fiebre interior que yo había olvidado. Cómo es posible que uno pierda todas las cosas que aprende cuando todavía es joven. Encerrada en el laboratorio, en la casa. ¿En cuál gaveta habré traspapelado la sensibilidad? Me condeno a unos cuantos latigazos en la psiquis por haber descuidado el recuerdo de que una vez yo estuve ahí, apretujada, con tres paquetes en cada mano, tratando de llegar a la puerta de atrás, angustiada porque se me pasaba la hora de entrada al hospital.

Inesperadamente, en la parada de G y Boyeros, se subieron dos conocidos. Hacía un milenio que no los veía, pero seguían igualitos: Víctor y Enriquito. Tuve una corazonada y me refugié detrás de los espejuelos oscuros.

Por nada del mundo quería que me descubrieran. A Víctor lo conocía bien porque fuimos vecinos desde chiquitos. Sólo se le apunta una hazaña cuando estudiábamos en segundo año, Víctor salió con una tijera para cortarles el pelo a los pepillos en la Rampa. No tengo que añadir ningún adjetivo a la historia. El propio Víctor contaba cómo le torció el brazo a un muchachito mientras lo pelaba al rape. «Es que no se quería dejar», explicaba siempre. Esa fue la primera y la última bronca que tuvimos. Después él abandonó los estudios y se mudó. No puedo dejar de acordarme de todo eso ahora, cuando veo su larga melena rubia que el viento le bate un poco.

A Enriquito lo conozco mejor. Estuvimos casados siete años. Iba muy elegante, de cuello y corbata, aunque fueran las doce del día y el sol rajara los adoquines. Genio y figura. Enriquito es lo que se dice un tipazo de hombre. Siempre ha tenido ese cuerpo de luchador y la cara, ni hablar. Su voz se imponía sobre la escandalera que había por el momento en la guagua. Quise mucho a Enriquito, pero fue un matrimonio sin fortuna de principio a fin. Yo sabía sus correrías y se las pasaba. Era su única manera de ganar confianza, aparentar que me engañaba con veinte a la vez. Lo que resultaba molesto es que a veces aquellas muchachas comentaban que Enriquito era grande por gusto. Por alguna razón que desconozco, no podía funcionar. Casi nunca. Su agresividad, el desfile inútil de los médicos, sus aventuras decepcionantes. Sufría mucho y yo me sentía infeliz. Sin embargo, la crisis vino por otra cosa. Esa vez que me escogieron para trabajar dos años en Tanzania, Enriquito mostró una cara en la calle, la de Don Juan comprensivo y moderno, y otra en la casa: «No me da la gana de dejarte ir, aquí el que manda soy yo, el macho». Cuando regresé del viaje, Enriquito había terminado las gestiones del divorcio. A pesar de todo, lloramos mucho los dos.

La guagua frenó ruidosamente enfrente de la Escuela de Veterinaria y subieron dos jovencitas con un perro *poodle*. El primero en atacar fue Enriquito. Con rapidez sacó el pecho de atleta y tomó en sus brazos al perro. Parecía una galantería inocente Víctor, un poco más rezagado en el pasillo, se abrió paso con los codos hasta quedar en mejor posición. Ninguno de los dos había cambiado mucho. Los unía una de esas amistades que se basan en el recelo. Víctor sentía hacia Enriquito una envidia bastante común, aquella que provoca alguien en quien se reconocen los propios defectos, pero que ha navegado dentro de la vida con mejor suerte. Enriquito, por su lado, con un título, una especialidad, un buen sueldo, sentía una fea pasioncilla ante el éxito conyugal de Víctor.

A la altura de Reina y Lealtad, se subió un hombre. Un negro flaco en extremo, que se movía con gestos desarticulados, esquivos. Usaba una camisa de algodón limpia y muy usada; el pantalón de batahola tenía un mapa de zurcidos en su parte posterior; los zapatos habían sufrido el peor destino, pues estaban rotos y polvorientos. Llevaba bajo el brazo uno de esos cartuchos misteriosos que nunca se sabe a derechas qué contienen, junto con un manojo de periódicos amarillentos. Cuando me encuentro con un negro de pelo tan canoso, a lo mínimo le echo doscientos años. No obstante, lo más curioso que tenía era la cara, enjuta, chupadas las mejillas, los ojos estriados de sangre, la nariz aplanada de manera brutal y una boca que daba la rara impresión de estar en carne viva. No voy a olvidar nunca aquella boca desparramada, lo más visible en el rostro del negro porque no paraba de temblar o de abrirse. Cuando lo hacía, dejaba ver unas encías peladas y tristes. La subida del negro fue un acontecimiento, aunque no pude precisar en ese momento de qué tipo. La primera voz que se oyó fue la del chofer. Parecía no hablar con nadie en particular. En realidad se estaba dirigiendo al negro:

—Los boxeadores son todos unos sinvergüenzas.

La reacción del negro fue instantánea. Saltó como un resorte:

—Así mismo es —chilló con un tono agudo, precipitado.

Hubo una risa general que me sorprendió. Yo también sonreí. Pensé que estaba siendo testigo de una broma mil veces repetida. No podía sospechar todavía lo que vendría más tarde.

Otro hombre intervino:

—Kid Gavilán te noqueó.

El negro empezó a mover los brazos en un espasmo y una especie de chillido salió de aquella boca:

—No es verdad.

De repente, reconocí la voz de Víctor:

—Déjate de cuentos. Kid Gavilán por poquito te mata —y soltó una carcajada áspera, dirigida con carácter especial a las jovencitas del perro *poodle*.

El negro parecía a punto de echarse a llorar:

—¡Mentira! A Kid Gavilán lo noqueé yo.

Víctor volvió a la carga

—No metas paquetes, Kid Bururú. Los muertos no hablan.

El negro a quien Víctor había llamado Kid Bururú hizo un amago de pelea, y el regocijo de la guagua aumentó. Miré a mi alrededor con extrañeza: ¿nadie iba a parar aquello?

Atravesamos la calle Galiano y el apelotonamiento era tremendo. El sudor y el hollín habían terminado por despintar las caras de los pasajeros, apurados, intranquilos, que viajaban en la *diecinueve*. Desde la acera alguien vociferó un saludo, el perro *poodle* se puso sorpresivamente a ladrar, una sirena se dejó escuchar a lo lejos. Hubo un instante de ruido intenso y, al mismo tiempo, de calma. Kid Bururú logró sentarse en el asiento de la rueda trasera. Tenía la cabeza metida entre las rodillas y todo su aspecto era el del boxeador que espera en su esquina al toque de la campana.

Fue entonces que oí la voz de Enriquito que decía:

—Kid Gavilán te quitó la mujer.

Kid Bururú fue sacudido por un rayo. Abandonó su puesto y trató de avanzar por el pasillo. La traza de los viajeros ya no se mostraba tan risueña. La cosa estaba yendo demasiado lejos. Hubo un murmullo de desaprobación. Aunque ya nada podía detener a Enriquito que, desde su asiento, repetía como un sonsonete: «Kid Gavilán te quitó la mujer». Y después remató:

—Kid Bururú, tú no eres hombre.

El negro se abalanzó sobre Enriquito y le tiró a la mandíbula un *jab* de izquierda que fue a desperdiciarse en el vacío. Las muchachas del perrito *poodle* soltaron unos gritos con coquetería. Víctor intervino, y después de este conato de bronca bajaron de la guagua, a la fuerza, a Kid Bururú, en la parada del Parque de la Fraternidad. Allí se quedó, moviendo uno de sus puños lamentables, en tanto el otro se mantenía defensivo a nivel de la cadera, con una posición que debía recordarle sus viejas glorias en el *ring*.

Cerré los ojos porque pensé que me iba a dar un soponcio. Me reproché mi pasividad, mi silencio. Y aquí me hice otra pregunta formal: ¿acaso es inevitable que el tiempo termine por achantarnos? Levanté la vista, ya Víctor y Enriquito se apeaban de la guagua, junto con las jovencitas y el perro poodle. Todavía se iban riendo.

La *diecinueve* dobló hacia la Avenida del Puerto y empezó a vaciarse. Cuando menos lo esperaba, sentí el olor a petróleo y a maderas podridas, y escuché el *chas chas* del mar que golpeaba contra el muro del Malecón. La bahía me quedaba a la derecha, y fue por eso que preferí este asiento. Conocí a Marcelo en Casablanca y también nos montamos en una guagua *diecinueve*. Pero ni siquiera este recuerdo, el mejor de la lista, podía borrar la imagen de Kid Bururú.

Esa tarde hubo una fiesta en mi casa. Los invitados fueron Marcelo y los niños. Después de la comelata y el *cake*, Marcelo preguntó:

—¿Y por fin pudiste empatarte hoy con los caníbales?

Me rasqué la nariz para darme tiempo y dije:

—Sí. Por lo menos con dos. También viajé mucho, más lejos que a Marte. Y compuse una oda a Kid Bururú.

—¿A quién?

—A Kid Bururú. Tienes que montar en guagua si quieres conocerlo.

El cazador

Leonardo Padura

El polvo compacto es un alivio sobre las mejillas. Su olor tan cremoso y tan seguro domina un instante el olfato y casi olvida que la mota debe frotar suavemente, aquí, esta sombra de mala noche debajo de los ojos y tupir las insalvables huellas de acné juvenil de una juventud que ya pasó. Algo tibiamente fantasmal queda en su rostro cuando lo estudia en el espejo. El lápiz de cejas, apenas una mochito, es difícil de manejar en su pequeñez. Moja con saliva el creyón negro y áspero y sólo entonces empieza a pasea el lápiz sobre el párpado izquierdo que se tensa marcando la redondez del ojo, achinándolo con cierta gracia. Y el ojo derecho, que bizqueaba de envidia. Ahora tupe las cejas, el lápiz pasa una y otra vez, creando un ángulo leve pero provocador, que apunta hacia la frente en un asombro sostenido. La música llega tenue desde la sala, pero mientras se pinta el rostro en su mente entona cada canción de aquel fabuloso recital de Simon & Garfunkel en el Central Park. El ventilador chino gira a toda velocidad, le mueve la bata, pero nada le molesta tanto como que una gota de sudor inesperada y furtiva le marque sin piedad el maquillaje que se esmera en perfeccionar. La sombra azul cielo cubre ahora los párpados -adora el azul, siempre ha sido su color-, que se mueven rápidamente, deslumbrando a los ojos que miran la imagen de esos mismos ojos en el óvalo del espejo. El *rouge* empieza a dibujar los labios de escarlata encendida, pero se detiene. Con delicadeza marca también la zona más alta de los pómulos y es como si se hubiera ruborizado. Entonces regresa a la boca, la trabaja con esmero y guarda el creyón en el estuche. Con un gesto preciso y natural une los labios, besa uno contra el otro, y al devolverlos a su posición, la boca es una rosa roja, abierta, perfumada, cálida. Con los dedos finos y bien cuidados se alborota el pelo recién lavado, que cae blandamente, como al descuido, sobre la frente. Es cuando su mente deja de cantar *Mistress Robinson:* ahora sólo tiene ojos y mente para admirarse en el espejo: los párpados delineados y cubiertos por una nube azul; las mejillas tersas y levemente inflamadas; la boca encarnada y madura. Siente, goza, disfruta la hermosura de su rostro, la realidad tangible de su belleza conquistada, los deseos de agradar a los hombres y sentir el amor, el calor masculino y unos labios ásperos como los de Anselmo que del primer beso se coman la pintura.

Antes de empezar a llorar humedece una mota de algodón en la crema y comienza a borrar la obra en la que invirtió veinte minutos de habilidades aprendidas y deseos reprimidos y, mientras recupera el original de sus ojos, sus labios, sus mejillas, se pregunta por qué la vida le dio lo que no quería.

Afuera la noche es una eterna promesa. Adora estas noches de abril, claras y frescas, buenas para caminar por La Habana. Mientras se pone el pantalón, se ajusta el cinto, acomoda las llaves y el dinero en los bolsillos, piensa adónde irá. Decidir es siempre difícil, y más ahora, no sabe por qué, presiente que puede ser un día especial y teme que una mala selección frustre un encuentro quizás preparado por los astros y el destino. En realidad, todas las noches en que no siente esa terrible depresión, piensa que algo va a suceder, y lo peor, después, es la soledad de una cama sin compartir cuando regresa sin nada. Termina de vestirse, le gusta esta camisa por dentro del pantalón, y va a la pequeña cocina del apartamento. Del refrigerador saca un litro de leche y vierte una porción en el pozuelo de su gato, dónde estará metido ese bandolero, se pregunta. Con un paño borra la huella húmeda que dejó el litro sobre la meseta y la cocina vuelve a quedar inmaculada, como le gusta.

¿El Vedado o La Habana?, duda. Si es el destino, el destino sabe. Antes de salir se mira por última vez en el espejo y se deja caer en el cuello unas gotas de perfume. Sale a la calle y camina lentamente, sin pisar las rayas de la acera, hacia la parada de la guagua. Ahora los nervios empiezan a trabajar, pues su futuro depende de la primera guagua que mande el destino, con rumbo a El Vedado o la parte vieja de La Habana. Si le dan a escoger prefiere el ambiente de El Vedado, le trae recuerdos agradables y nostalgias incisivas, allí ha encontrado gentes fabulosas, aunque, la verdad, la calle ha cambiado mucho y entre tantas locas es difícil encontrar algo de clase. De La Habana Vieja le molestan los deprimentes que merodean por el Capitolio y la Fraternidad, con su agresividad desesperada y su insultante vulgaridad. Seis minutos después el destino le envía una guagua casi vacía —como están las guaguas tiene que ser el destino— cuyo recorrido muere en El Prado, el mayor coto de caza de La Habana.

La noche fue hecha para cazar —y la ciudad es la selva por donde se pasean las presas—. Cualquiera puede ser atacado pero no todos caen en las redes. Hay que tener olfato y saber dirigir los disparos, evitar los fracasos escandalosos, los posibles barullos que no ayudan a nadie. Con Ever, el amigo que lo inició en los encantos más sofisticados del amor y en los misterios de la cacería, había aprendido estas lecciones. Pero Ever tenía una gracia especial que a él le faltaba y que ya, estaba seguro, no iba a tener jamás.

Las luces amarillentas de El Prado, el ruido intenso del tráfico, las persecuciones desenfrenadas de los jinetes en busca de un extranjero y un dólar, le quitan todo el encanto que tuvo este lugar, ahora trabajado sólo por los desesperados que aceptan cualquier cosa y se arriesgan a sufrir las peores consecuencias a manos de un buscavidas profesional.

Sin embargo, camina lentamente hacia el Parque Central, valorando cada mirada, pesando los adarmes de cada gesto, estudiando al microscopio toda posibilidad. Está eufórico, todavía, apenas ha sonado el cañonazo de las nueve y quedan muchas horas por delante y los buenos ligues se hacen alrededor de las once. Mientras camina y trabaja con su olfato, imagina cómo podría ser todo. Se siente cansado de esas relaciones efímeras, muchas veces traumáticas, que terminan en el desencanto o en el abandono prematuro. Sus amigos habituales, con sus tazas de té perfumado, sus tandas de música clásica y los mismos chismes y nostalgias de siempre, nunca han conseguido satisfacerlo del todo. Necesita encontrar otra vez un hombre como Anselmo, un varón de pies a cabeza, capaz de comprender también por qué uno se puede enamorar de él y capaz, por eso mismo, de dar su amor. Los meses irrepetibles que vivió con Anselmo lo han marcado para siempre y todavía, tres años después del final, siente cómo su corazón palpita desenfrenado y su piel se enfría cuando ve un rostro trigueño, un bigote coposo, unos ojos de animal triste que le evocan a la persona que más ha amado en su vida. No, no quisiera recordar jamás los días terribles que siguieron a la separación, le dijo que había conocido a una mujer, creía estar enamorado de ella y él supo que regresaba la soledad a su cama, que terminaban las noches de amor limpio y desenfrenado, los atardeceres inolvidables en los rincones más discretos de la playa, cuando jugaban desnudos en el mar, hasta sentir en el frío del agua, el fluido tibio de Anselmo cayendo en sus manos y disolviéndose en una ola, tan infecunda como él mismo. Coño, cómo lo había querido, cómo se había deprimido con la separación y las estupideces que, para aturdirse, hizo con las locas fleteras del Coppelia, inconsistentes y vagabundas, gozadoras desenfrenadas que preferían el azar de un baño público, el riesgo de una escalera oscura, los sobresaltos de un matorral agresivo a la plenitud de una cama limpia y bien empleada y, al amanecer, un desayuno compartido y un beso profundo y con sabor a hombre y a café antes de salir para el trabajo.

Pero es demasiado temprano para El Prado, piensa cuando se le acaba el Paseo. Más tarde regresará, tal vez lo ayude la suerte, tan celosa con los Capricornios como él, se dice. Atraviesa Neptuno y entra en el Parque Central, tratando de encontrar un banco desocupado. En la acera de enfrente hay dos colas: una para la pizzería y otra de taxis para turistas, y no ve a nadie que le pueda interesar. En el paseo principal del Parque hay un asiento vacío y se apresura a ocuparlo. Es una linda noche, la verdad, y él está dispuesto a esperar, a mirar, a estudiar.

En una esquina del Parque un grupo de hombres, más de veinte, están discutiendo de pelota. Todos hablan a la vez y hasta él apenas llegan unos gritos que se imponen a la sólida algarabía. La entrada del teatro, al otro lado de la calle, ahora está vacía. A las ocho y media comenzó la función del ballet y se imagina la euforia de las balletómanas —No las resisto—, que han venido a ver a Josefina y Aurora, tan deseosas de sentirse como ellas, esbeltas, lánguidas, aplaudidas. Seguramente se han puesto sus mejores trapos y emocionadas se agarran las manos sudorosas con cada maniobra admirable de sus diosas del baile, para luego gritar maricona e irreverentemente, con un insoportable despliegue de plumas lanzadas al aire. —Lo dicho, no las resisto.

Si no fuera tan tímido. Va a cumplir treinta y dos años y puede contar con los dedos de las dos manos las relaciones indelebles que ha tenido. Le alcanzan los dedos, en realidad, pues nunca ha querido contar las locuras que cometió después que Anselmo lo dejó. Lo que sí sería incalculable es la cantidad de amores platónicos vividos y que su timidez le ha impedido, por lo menos, tratar de comenzar. En su trabajo ha amado hasta llorar a tres compañeros, pero ellos, de seguro, jamás lo han podido imaginar. El peor de los enamoramientos fue con Wilfredo, el jefe de divulgación. Nunca supo qué le encontró a aquel flaco pálido y obsesivo, todavía con mirada de campesino y aquellas ropas tan cheas que se usaron por última vez en 1970. Tal vez su desvalimiento y su languidez fueron el origen de aquel amor nunca concretado, estaba convencido, por su insalvable timidez. Wilfredo, con dos invitaciones a comer de sus spaghetti a la carbonara y un par de funciones de teatro hubiera sido cazado, pero es que el trabajo no podía, y no sabía por qué. Ni en el fondo, ni en la superficie le interesaba que los demás supieran la verdad, algunos incluso la sabían bien, mas un atavismo remoto de que hay cosas que se respetan unido al temor a posibles represalias laborales, lo habían convertido en un cazador furtivo y callejero, que sólo por las noches salía a la ciudad pensando que en algún parque, en algún cine, tal vez hasta en alguna guagua, apareciera el hombre de sus sueños —que tanto se parecía a Anselmo.

Si no fuera tan tímido, lo sabía, algún día saldría a la calle con su mejor maquillaje, gritaría lo que quería sentir, sería hermosa y más loca que la loca más loca

—Pero es que no las resisto.

Por el paseo central del Parque caminan parejas, mujeres solas, hombres solos y los jinetes más osados, dispuestos a todo por los ansiados y mágicos dólares capaces de convertirse en brillantes zapatillas Addidas, en Levis Strauss indestructibles, en camisetas Ocean Atlantic de mil colorines y hasta en botellas de whisky para los de gustos más exóticos. Caminan ancianos y policías, vendedores de periódicos retrasados y estudiantes todavía de uniforme. Alguno podía ser el que él esperaba, y para todos los posibles había una mirada discreta y, cuando el presentimiento arreciaba, tal vez hasta un movimiento casi imperceptible con la cabeza.

No había sucedido nada, pero tampoco era para impacientarse. Decidió caminar por el cine Payret, pues las presas —bien lo repetía Ever— hay que buscarlas, como todo en esta vida. La marquesina iluminada del cine anunciaba que la película de estreno tendría función también a las doce de la noche. Eran más de las diez y alrededor del cine algunos noctámbulos esperaban sin prisa la tanda de medianoche. Eliminó a los que estaban acompañados por mujeres, a los que eran muy viejos o a los que tenían mal aspecto. A los demás los valoró uno por uno y, como distraídamente, caminó entre ellos, los miró, le pidió fósforos a uno, cómo estaba la película al otro, la hora a aquel, pues su reloj estaba atrasado. Y el mío también, se lamentó el joven.

Tendría unos veintiocho años y vestía con discreción. Llevaba una carpeta debajo del brazo, tenía los ojos verdes y una claridad en la frente que auguraba una pronta calvicie. Sintió que su corazón latía con más fuerza, pero se dijo que no, que las cosas nunca se repiten. Aquel joven se parecía demasiado a Juan Carlos, lo había encontrado donde mismo encontró a Juan Carlos y le había preguntado lo mismo que a Juan Carlos. Sabía que no podía tener tanta suerte dos veces: Juan Carlos había sido, antes que Anselmo, su relación más intensa y vital. Apenas tenía 21 años cuando lo conoció y tuvo el privilegio de ser su maestro en el amor, como antes él mismo había sido alumno de Ever. Pero Juan Carlos se malogró: conoció a otros amigos y se convirtió en una loca furiosa, de las que andan en pandillas, y la pureza original de la relación se perdió para siempre, como la inocencia.

Miró la carpeta del joven y le preguntó si había salido ahora de la escuela. La de idiomas, respondió, ahí en la Manzana de Gómez. ¿Inglés? No, sonrió el joven, alemán, soy bioquímico y hay mucha bibliografía en alemán. ¿Pero te gusta ese idioma? Gustarme es otra cosa, pero tengo que metérmelo en la cabeza, ya tú sabes cómo es eso. ¿Y por qué vienes a ver la película tan tarde? Qué remedio, trabajo por el día, y por la noche la escuela, y los fines de semana uno siempre se complica. Dios mío, que rollo, dijo él y le ofreció un cigarro. Gracias, no fumo. El corazón le palpitaba sin contemplación, Juan Carlos tampoco fumaba y las películas eran lo que más le gustaba en el mundo. Como aquel Juan Carlos que conoció, éste era un joven hermoso, normal, tan tímido como él y con unos ojos verdes que derretían cuando miraban de frente. Lo imaginó en su apartamento, pidiéndole oír tal cassette, aprobando el sabor de los buñuelos —ya nadie sabe hacer estos buñuelos—, dejándose caer, cansado, en el sofá, y luego conversar y conversar, María Bethania cantando *Mel*, proponerle quédate hoy, la mano tranquila sobre un muslo, mira que tarde es y las guaguas... ¿Se acostaría con él? ¿Aquel muchacho con aquellos ojos verdes y esa timidez visible lo besaría, lo acariciaría, lo abrazaría casi hasta asfixiarlo y finalmente lo montaría, haciéndolo gozar la dureza ajena clavada en las entrañas?

Disculpa, dijo entonces el joven, pero tengo que llamar por teléfono. Mi esposa debía estar aquí a las diez. No te preocupes, dijo, y casi sintió deseos de golpearlo.

149

Regresó al Parque Central y el panorama era el mismo, aunque la discusión sobre pelota había terminado, dejando espacio al ruido de los carros. Iban a ser las once y había más bancos vacíos, pero ya no quería sentarse. Estaba furioso y hastiado y se negaba a pasar otra noche en soledad. Entró en El Prado y apenas encontró a los jinetes empecinados que perseguían a unos italianos y algunas parejas que se besaban sin recato -para matarme de envidia.

La última vez que vio a Anselmo, lo acompañaba su esposa y él cargaba un niño de un año y meses. Bajaban por la calle G y desde 23, a más de una cuadra, los vio y los reconoció. No sintió los habituales rugidos de su corazón, ni el frío en la pies: esta vez sí era Anselmo y pensó que aquella estampa familiar era tan fuerte que podía desmayarse allí mismo. No podía hablar, no tenía fuerzas para moverse, él se había afeitado el bigote y ella era más rubia de lo que pensaba, con caderas anchas y una cara que se hacía más hermosa mientras se acercaban a él. Su mente era un ciclón de envidias, amores, recuerdos, nostalgias, odios reverdecidos de persona abandonada. Al fin pudo dar media vuelta y se fue antes de que Anselmo lo viera.

Regresó por la Acera del Louvre. La pizzería estaba cerrada pero la cola de taxis se mantenía eficiente y servicial. El teatro había terminado su función y apenas un grupito de locas balletómanas comentaban el espectáculo en el soportal matizando el diálogo con algunos griticos, paraditas en puntas y algún *fouetté* lastimoso. Otra vez sintió deseos de golpear, tan mariconísimas, de hacerles daño y humillarlos y cruzó la calle hacia el Parque Central.

No se detuvo a mirar hacia los bancos. Cruzó también Zulueta y entró en los soportales prohibidos del Centro Asturiano. El hedor de orines secos y acumulados por los años de los años lo golpeó en la nariz, pero resistió el embate hasta salir al Floridita. Cerrado por reparaciones. Dobló a la derecha, saltando sobre charcos de orines más recientes, y cuando volvió a doblar a la derecha, encontró en la oscuridad, y contra una columna, a un negrazo enorme, con las piernas flexionadas para ponerse a la altura de la muchacha crucificada que reprimía sus aullidos de placer —¿o de dolor?

No quiso pasar otra vez por el Payret. Se sentía vacío y a la vez cargado de odio, lujuria, desesperación. No resistía más aquella soledad que cobraba semanas y meses, le dolía saber que había gentes felices y casi quiso ser como las locas y gritar un necesitaba un hombre, un hombre, un hombre, Dios mío.

No quería hacerlo pero caminó hacia el fondo del Capitolio y se acomodó en una breve escalinata, dispuesto a esperar, a cazar. Eran más de las doce y a esa hora siempre había una presa, pero de menos valía. No cazaría un Anselmo, un Juan Carlos, un Ever, ni siquiera un inconstante egocentrista como el Niño Antonio. Pasaron dos parejas, un militar, tres muchachas con aspecto de puticas baratas, que lo miraron, proponiéndose. Pasaron dos jóvenes, uno blanco y otro negro, que se arrinconaron en una curva del viejo edificio a fumar un cigarro demasiado breve, demasiado apurado, oloroso a hierba húmeda y fatal. Hasta que lo vio venir. Era ése: tendría dieciocho años, era lampiño y mientras caminaba se acariciaba el pecho. Como éste había muchos, aunque era extraño que anduviese solo, esos eran animales de manadas. Tal vez un abandonado como yo, pensó. Y como pensó se dijo que no quería llamarlo, no quería volver a los sobresaltos de las escaleras y los edificios en demolición, no tenía nada que ver con ese niño pervertido y petulante que exibía como un blasón su homosexualismo precoz.

Tampoco podía seguir solo, cazando sin fortuna cada noche, oliendo a masturbaciones y a saliva, esperando el milagro del amor. Necesitaba entregarse, o que se le entregaran.

—Oye, hazme el favor, mi niño —le dijo.

Cerró la puerta y pasó los pestillos. Sobre el sofá de la sala dejó la camisa y se quitó los zapatos sin desatar los cordones. Fue hasta el baño y antes de lavarse las manos adoloridas, se miró en el espejo. Sus ojeras de siempre habían crecido, eran dos bulbos oscuros a punto de desprenderse. Trató de escupir el sabor amargo que le dolía en la boca y el vómito lo sorprendió. Fue una arcada total, que lo abrazó desde el abdomen y le abrió los labios. Cuando terminó sus ojeras eran mayores. Odió su imagen ante el espejo y odió sus manos que inesperadamente habían empezado a golpear a aquel muchacho que se le había ofrecido con todo su impudor. Fue un impulso voluntario y lógico, como la arcada del vómito, algo que vino sencillamente y ya no lo pudo detener. El joven, sin un grito, apenas cubriéndose la cara, quedó como un feto abortado debajo de aquella escalera húmeda donde habían hecho el amor.

Se desnudó y se sentó en la taza. Mientras orinaba empezó a llorar, casi sin lágrimas, pero con unos estertores dañinos y profundos. No se reconocía, no sabía quién era ni qué cosas hacía y no quería entrar en el cuarto y ver la cama vacía donde debía dormir solo otra vez y otra vez y otra vez. Entonces pensó que debía acabar con todo.

Hacía mucho tiempo lo asaltaban aquellos impulsos suicidas: venían cuando se sentía enfermo y temía agonizar en soledad; cuando se sentía bien y quería compartir su euforia y no tenía con quien; cuando salía a cazar y regresaba con el morral vacío. Sabía que de tanto desearlo un día lo haría y pensó que esta madrugada debía ser ese día.

Desnudo caminó hacia la cocina, arrastrando toda su fetidez. Buscó en una gaveta el cuchillo más afilado y vio que el pozuelo de leche estaba intacto. Dónde se habrá metido, pensó y se asomó a la ventana, tratando de encontrar algún rastro de su gato, con lo que le gusta la leche. Ese anda por ahí enamorado, se dijo, cazando, se dijo, y miró el cuchillo con el que iba a cercenarse las venas. Va a ser el alivio total: se acabará el recuerdo de Anselmo, la timidez, las cacerías con y sin fortuna, y sobre todo la soledad y una doble vida que agotaba sus fuerzas y hasta sus alegrías.

Sentado en el borde de la cama —vacía, vacía—, estudió sus brazos. Cerró los puños y vio flotar levemente sus venas azules —su color preferido. La sangre saldría en chorros indetenibles, mancharía la cama y las paredes, el suelo y el techo, quedaría todo hecho un asco. Pensó que tal vez Anselmo nunca se enteraría de su muerte, que su padre hasta se alegraría de no tener ya este hijo, que no tenía nadie a quien escribir una carta de despedida, y mientras el llanto lo aliviaba y los estertores cedían, pensó que todo era obra del destino. Amanecería allí, con las moscas paseando por sus labios sucios y sus ojos asombrados y se dijo que sería demasiado repugnante. Volvió a mirar sus venas azules y abrió la mano derecha. El cuchillo cantó en el piso como una campana desafinada. Ay, Anselmo, dijo y se recostó en el colchón.

1990

¿Qué es la felicidad?

Guillermo Vidal

Él está sentado ahí en el suelo de esta foto que amarillea.

Nos está mirando con sus ojos negrísimos como si fuéramos los asesinos

en realidad los asesinos debieron estar riéndose detrás del soldado que apretó el obturador.

Al soldado no le tembló el pulso, y eso puede apreciarse en la nitidez y la perfección del ángulo desde donde fue tomada

posiblemente el teniente coronel diga déjenlo ahí que se desangre ya aprenderán estos revoltosos, posiblemente no diga nada, ya no puede decir nada pero está viendo al hombre herido de bala

el hombre tiene una herida inguinal de la que mana sangre

puede verse la sangre manando rabiosa

me lo castran

si es tan hombre me lo castran, dice el tigre

el tigre no pudo con los testículos del hombre porque los testículos del hombre son más fuertes que el tigre y porque una voz dijo todavía no, déjenlo

y el hombre aprieta las mandíbulas y nos está mirando a todos

al teniente coronel que dice déjenlo ya hablará

el tigre me lo trae de nuevo teniente

el tigre bebe aguardiente de caña delante de todos

el tigre dice en la otra celda están las mujeres me las ponen con los presos comunes para que les den un pase

el hombre posiblemente piense en las mujeres

las mujeres hace apenas un momento oyeron los gritos del

hombre los rugidos del tigre

las mujeres gritaron asesinos y los soldados les rompieron los dientes a puñetazos pero las mujeres siguieron gritando

la pared de la foto debió ser amarilla con salpicaduras

pero son puras suposiciones si la foto es en blanco y negro

tal vez los asesinos se muevan tan campantes tras la cámara

den órdenes diversas

redacten actas

digan ahora no los periodistas no esperan órdenes del general

el pelo sí es negrísimo y una hora antes estuvo exquisitamente peinado

pero en esta foto ya el hombre ni maldice

un hombre que sabe que va a morir qué hace con sus maldiciones

él está en paz con los hombres y allá los que se mueven tras el obturador.

las mujeres sí están llenas de odio y no les importa si serán conducidas hasta los presos comunes

ya el soldado está convenientemente situado tras la cámara

el dedo apenas le tiembla

el hombre viste uniforme idéntico al resto de los que están en la habitación pero nada tiene que ver con ellos

simplemente se habían vestido así para entrar y ahora están dentro casi todos porque se quejan desde el suelo y abren sus bocas sangrantes queriendo decir algo y quedan tendidos.

si uno escucha con mucha atención puede oír los quejidos de esos hombres, los tiros dispersos.

también puede sentir el olor de esa mañana, pero qué hace uno con el olor si ahí está el hombre que se desangra y nosotros tenemos algo que ver.

Si nosotros fuéramos los asesinos nos moveríamos despreocupados ante la foto a punto de hacerse, el tigre dice y esa cámara y alguien que se calle cada uno a su trabajo.

pero nosotros tenemos algo que ver con esa foto.

nos la queremos sacudir y ella ahí

la foto sigue amarilleando a pesar de los cuidados.

las voces quedaron también ahí y perturban los colores.

ya han sacado miles de copias de esa foto, ya pusieron su nombre en las escuelas.

Ya era una foto vieja cuando alguien apretó el obturador.

Enviado del otro mundo

Abilio Estévez

La primera vez que vimos al hombre, mi madre y yo íbamos al cementerio. Desde la muerte de mi padre íbamos todas las tardes. Ya habíamos salido por el portón, cuando apareció, extraño, con la ropa de trabajo empapada en sudor, el sombrero de yarey echado hacia atrás y una guataca recostada al hombro. Al vernos, la sorpresa lo detuvo. Yo sé que entrecerró los ojos y que mostró la hilera de sus dientes tan blancos que parecían de mentira. Sus ojos, de un gris afilado, brillaban como la punta de un cuchillo. Era muy alto y la ropa le quedaba pequeña: el pantalón, desgarrado en los bajos, dejaba libre un pedazo de la piel de sus piernas por encima de unas botas enfangadas y sin abrochar. La camisa tenía un color más oscuro debajo de las axilas y como la llevaba abierta, podía verse en su pecho la oscuridad de los vellos.

Un segundo lo miró mi madre y trató de abrir la sombrilla, que no se abrió. Comenzó a buscar algo en el bolso y me llamó varias veces por mi nombre completo como nunca hacía.

El hombre dejó la guataca en el suelo y se acercó. Escuchamos el golpe de las botas en la calle, y no fue difícil saber que estaba ahí, a dos pasos, era precisa su respiración agitada y penetrante el olor a manigua.

Sentí la mano de mi madre apretando la mía.

—Me da un poco de agua —pidió él con voz que seguro hizo temblar las ramas de los árboles.

Ella no escuchó, no hizo caso, huyó conmigo calle abajo y doblamos por la primera cuadra y cruzamos casi corriendo el puente de la zanja.

Comenzaba a hacer frío y los árboles se veían negros en plena tarde. Las calles estaban mojadas aunque no había llovido y las casas permanecían cerradas a cal y canto. Los perros (tantos perros) no ladraban. Tampoco volaban los pájaros, ni se oían los gritos del hijo loco de la vieja Sana, ni las campanas de la iglesia hicieron nada por espantar aquel silencio como era su deber.

—¿Quién es ese hombre? —pregunté a mi madre cuando estuvimos lejos.

—El diablo —respondió.

Volvimos a encontrarlo al día siguiente.

Llegamos al cementerio que tenía una gran puerta desde donde unos ángeles grandes nos miraban sin darnos importancia. Abrimos la verja que siempre daba un alarido, y entramos a la calle de contennes pintados de blanco con las tumbas grises que tenían floreros de colores vivos.

Mi madre suspiró (siempre lo hacía) y cerró la sombrilla y se arregló el pelo. Como era hábito, deambulamos por entre las tumbas. Ella leyó las inscripciones de todas y acarició algunas tapas y cruces, allí donde decía que estaba su amiga Adela y la otra amiga y la otra, tantos muertos que nos recuerdan, hijo, que polvo somos y en polvo nos convertiremos. Sus ojos no estaban quietos y brillaban; por momentos detenía en sus labios una leve sonrisa.

En la tumba de mi padre, quitó las flores mustias y deshizo los pétalos sobre la tierra.

Descubrimos al hombre en el momento en que mi madre me mandaba por agua limpia; estaba bajo un angelito de mármol, tan de mármol él como el angelito, mirándonos, mirándola fijamente.

—No lo mires tú —me ordenó ella.

No me gustó la forma angustiada en que lo dijo, pero ninguna pregunta me atrevía a hacerle: la vi bajar la cabeza, hundirse en sí misma, tranquila, intranquila, sentada en un banco.

Fui como pude, evadiéndolo, a la bomba del agua y llené los recipientes de cristal. Pero al regresar, el hombre me detuvo, no sólo con sus manos, también con sus ojos de acero que estaban tan llenos de cruces como el cementerio. Sonrió.

—¿Qué quiere? —pregunté sin miedo, aunque con miedo, bajando los ojos porque sabía que no debía mirarlo.

Mostró un papel doblado, amarillo, un papel viejo.

—Dale a ella. Dile que es un recado.

Pero como yo, mis manos, se resistían, se inclinó hacia mí desde su altura y agregó:

—Es un recado que manda tu padre.

—Mi padre está muerto —riposté quizá ofendido, aunque sin saber por qué.

—Lo sé —respondió—, es un buen amigo que no tiene secretos para mí.

¿Cómo culparme de volver con el recado si se trataba de un aviso que mi padre nos mandaba?

Mi madre leyó el papel sin demostrar que lo leía. Lo guardó entre los senos y no colocó las flores en los floreros, dijo que el agua sola resultaba buena para los muertos, y más tarde ocultó la cara entre las manos y noté que sus párpados se agitaban. ¿Estás llorando o estás riendo? Nada, hijo, nada, se secó los ojos y se puso de pie.

—Vamos. Ya es de noche.

¿De noche? No dije no, pero el sol aún se veía.

Salimos del cementerio. Él ya no estaba o se había escondido, y eso que los ojos de ella iban iluminando las esquinas y se perdían de tan lejos que miraban.

Regresamos en silencio. Ella no hablaba como cuando había un pensamiento que la torturaba. Yo la conocía bien. Y como la conocía bien, corté un jazmín y se lo regalé para que adornara su escote.

Al llegar a casa, no encendió la luz. Se tiró en la cama y me pidió que echara fresco, pero, por favor, no me hables, mira que no me gusta que me hablen cuando quiero pensar.

—¿En quién?

Hubo un silencio, después escuché la respuesta cansada:

—En tu padre.

En toda una semana, día tras día, estuvo el hombre pasando frente a nuestra puerta. Ella había cerrado las ventanas y cuando escuchaba las botas, apretaba los ojos y se tapaba los oídos. A veces lloraba. Lloraba en silencio, tanto, que parecía que no lloraba.

Dejamos de ir al cementerio, para no verlo, porque ese hombre es Satanás, hijo, es de otro mundo y los hombres de otro mundo nada tienen que hacer en este.

Algunas tardes él tocaba a la puerta. Ella huía a la cocina y se hacía la que estaba revolviendo la sopa; pero qué sopa, si nada había en los calderos.

Así ocurrió hasta una tarde en que él no pudo más y tocó mucho, hasta cansarse y ella tampoco pudo más y aunque no deseaba abrir, abrió la puerta igual que si tomara una decisión. Se enfrentó a las pupilas afiladas del hombre. Se desearon los buenos días de modo bastante raro porque no hubo sonrisas.

Él no esperó para decir:

—Le traigo un regalo.

Y alargó una jaula blanca, de metal, con un pájaro blanco que no debía ser de metal, volaba y revolaba con chillidos extraños.

Ella tomó la jaula y se mostró muy agradecida, si quiere sentarse.

Él pasó a la sala y me guiñó un ojo como si yo debiera saber algo que él suponía que yo supiera. Esta vez iba vestido de limpio, con pantalón de kaki y guayabera blanca almidonada. Tenía un pañuelo en las manos y se secaba el sudor de la frente. Olía a agua de colonia.

Mi madre se me acercó. Acarició mi cabeza.

—Mi hijo —dijo.

Pensé que la seguridad había vuelto a ella después de haberla abandonado. Estaba hermosa. Comenzó a moverse con soltura. Trajo un vaso con agua y una taza de café. Por último, hasta sonrió. Conversaron del invierno, qué bueno el invierno, en diciembre uno respira, porque lo que es en agosto...

Cuando él se marchó ella abrió las ventanas y encendió todas las luces de la casa. No le importó que fuera tarde para limpiar con insistencia y mucha agua los pisos que brillaron como cristales.

Más tarde preparó un baño de agua hirviente con gotas de perfume. Salió del baño y olía más que un jardín. Se ocultó entre las sábanas de la cama y me pidió que tampoco hoy la molestara, hijo, quiero pensar.

Al otro día no se vistió de negro. Amaneció con un vestido blanco que tenía lazos azules y la vi mucho rato frente al espejo pasando las manos por su cintura, mirándose contenta.

—Hoy vamos a tener noticias de tu padre —me anunció.

Puso colorete en sus mejillas y tiñó la boca de un rojo vivo. Las cejas se arquearon con rayas negras. Levantó el pelo y lo sostuvo con peinetas.

Sacó de una gaveta una vieja caja de bombones forrada con papel dorado y envuelta en cintas verdes donde guardaba las fotografías. Zafó con cuidado las cintas y rió mucho de verse de nuevo tan joven, como en aquellos tiempos. También rió de ver a los parientes y los iba nombrando y los saludaba, repetía las mismas anécdotas, las mismas historias. Dispuso las fotos sobre el suelo como si compusiera un rompecabezas. Ponía un dedo sobre cada foto y decía los nombres sin equivocarse.

Después llenó la casa con búcaros repletos de flores y hojas de espárrago.

A la noche se preparó mejor y vistió un traje más elegante y me llamó:

—¿Cómo ves a tu madre?

Le dije la verdad, que estaba más bella que nunca, como una actriz de cine, y su agradecimiento fue un beso que dejó su boca en mi frente.

Trajo fundas limpias y sábanas limpias y vistió su cama no sin dejar caer unas gotas de perfume en la almohada.

—El hombre que viene del otro mundo —dijo— trae un recado de tu padre.

No pregunté si podía quedarme. Ella oyó la pregunta sin que yo la hubiera dicho y contestó con el índice levantado igual que cuando daba consejos:

—Oye bien: no puedes quedarte. El hombre que viene del otro mundo no podrá hablar si te quedas. Dentro de unos minutos te irás. Volverás muy tarde.

La vi estirar las sábanas, pasar las manos sobre ella, acariciarlas, la cama fue quedando mejor tendida que nunca. Después dio vueltas de un lado a otro hasta que decidió calmarse encendiendo un cigarro. Fue hasta la ventana. Me gustó verla fumar, lo hizo como si se tratara de la cosa más importante del mundo. Entrecerró los ojos y se vio joven, bella. Fumó olvidada de mí, sonrió a la ventana, al jardín, a la noche.

Escuchamos entonces los cascos del caballo. Ella corrió para descolgar el retrato de mi padre que estaba en la pared, sobre la cabecera de su cama y me lo tendió:

—Es necesario que lo lleves. Pídele que nos ayude.

Salí y sin que ella me viera me llevé además la jaula, el pájaro blanco. El pueblo estaba oscuro como el fin del mundo pero yo me alegré de que estuviera así con la única vida de algunos postes iluminados. Las calles, muertas, las calles por donde yo corría con mis gritos, con los chillidos del pájaro, feliz de llevar el retrato de mi padre y sobre todo de tener noticias. Yo, en realidad, siempre había esperado un mensaje. Aunque un día vi a mi padre encerrado en una caja negra, yo sospechaba que con tanto que él me quería, no iba a abandonarnos, y por eso esperaba, a la mejor el día menos pensado va y nos da la sorpresa. Y mi madre lo repetía, hijo con este mundo nunca se sabe.

Llegué a la Madama que son unas ruinas del tiempo de la colonia, y sobre una piedra puse la foto de mi padre y la jaula del pájaro. Hablé con la foto y le dije por favor, queremos saber cómo estás allá tan lejos de nosotros y dinos si volveremos a verte. No respondió pero fue como si respondiera. Quedé tranquilo, contento. Abrí la puerta de la jaula y le dije al pájaro que si deseaba ser libre podía salir, y por supuesto salió porque deseaba ser libre. Se fue volando y el golpe de sus alas parecieron palabras de agradecimiento. Me tiré en la hierba, cerré los ojos y me dormí, no, no me dormí, pero sí, estaba dormido porque iba soñando, por el aire, sobre el campanario de la iglesia y el pájaro en mi hombro...

Cuando el sueño se acabó, sentí el peso de la noche, y decir el peso de la noche, es decir una palabra como miedo, y regresé.

Mi casa se veía iluminada, toda iluminada, las ventanas abiertas dando luz. Al entrar, me molestó en los ojos el brillo de las lámparas.

Llamé a mi madre.

Nadie respondió, lo que no tenía importancia, yo sabía que ella estaba allí, volví a llamar. En el comedor vi la mesa puesta con el mantel de frutas bordadas que mi madre reservaba para las grandes noches y los platos con las chinas sonrientes en el fondo. Fui rincón por rincón buscándola a ella que estaba oculta para darme un susto. Vi su cuarto tan vacío como el pueblo. Madre, madre, sé que estás en la casa. Sentí que la puerta se abría no porque la sintiera, no , más bien fue una brisa fría que inundó la casa y un olor a árboles y a campo, como si se tratara del hombre.

No era el hombre, claro; mi madre entró muy hermosa, con el pelo suelto sobre los hombros y la bata larga de tela suave. Tenía la bata llena de hojas e iba descalza con los pies enfangados. Reía entre suspiros.

Hijo, ven, y se arrodilló para abrazarme y darme miles de besos. Con mis manos ordené su pelo.

—¿Qué ha dicho mi padre? —pregunté.

Cerró los ojos, tan satisfecha que echó la cabeza hacia atrás, todo el júbilo no cabía en su pecho.

—Es feliz —dijo—. Tu padre es feliz allá donde está y quiere que nosotros también lo seamos. Dice que le olvidemos, que no vayamos al cementerio, que vivamos otra vida.

—¿Y el hombre?

—Es su amigo. Él lo envía para que nos cuide.

Entonces salimos al jardín porque mi madre me explicó que necesitaba sentir el frío de la noche, el invierno al fin, y cantar para que mi padre la oyera allá

171

donde estaba, reír sin motivo, reír y ríe tú, hijo, tu padre es feliz y nosotros lo seremos.

El pueblo despertó con nuestra alegría. A nuestras voces se abrieron las ventanas. Por sobre nuestras cabezas volaba y revolaba el pájaro blanco y, cuando al fin desapareció, dejó en el cielo un punto brillante que simulaba una estrella.

Un asunto de altura en el Niágara

Miguel Collazo

Un asunto de altura en el Niágara

Miguel Tapia

Los dos hombres rodaron un poco más las sillas hacia el filo de sombra que proyectaba una de las columnas del Niágara; la mesa de hierro, churrosa, forrada de formica negra, quedó ahora bastante distante de ellos, ocupada en el otro extremo, del lado del sol, por tres o cuatro borrachines que discutían furiosamente, sentándose y levantándose, dándose grandes golpes de pecho y gesticulando de tal manera que por lo menos en dos metros a la redonda no había vasos ni botellas que no fueran barridos a manotazos (tal vez por eso tenían sus tragos y botellas bajo la mesa, aunque lo más probable es que simplemente lo hicieran por hábito).

Dentro y fuera del bar la temperatura sobrepasaba los treinta y ocho mil grados.

Los que habían corrido sus sillas huyendo del fuego solar no alcanzaban ya a poner los vasos en la mesa ni les parecía prudente hacerlo, de manera que también los tenían en el piso, entre las piernas; después de todo, el suelo renegrido, meado y merodeado por enormes perros sarnosos, era el sitio más seguro en medio de aquella revoltura, el desordenado movimiento de mesas y sillas y el entra y sale de gente.

Eran dos hombres de edad y vestimentas bastante diversas, enredados hacía rato en un diálogo difícil y acalorado. Uno de ellos, vestido a la moda de la década del cuarenta, se dio vuelta, miró la inundación solar y pensó, tal vez por evadir el tema o por el puro gusto de pensar tonterías y sinsentidos: «¿Por qué, con todo el dinero que deja esta ronera, a nadie se le ha ocurrido ponerle unos puñeteros toldos de loneta barata a este lugar? Loneta, chapas de lata o... Bueno, no, a nadie se la ha ocurrido, o peor, a nadie le interesa. Y ni a nadie se le ha ocurrido ni a nadie le interesa por una sola, simple y cabrona razón: de todos modos la gente va a venir aquí a tomar, va a hacer cola y empujar y batallar en ese loquísimo metro y medio de barra por un cagado vaso de ron. La gente va a venir, viene, aunque el chorro de sol que entra por ahí se convierta en un soplete, aunque ni siquiera hubiera en esta mojonera techo ni sillas rotas ni mesas descojonadas ni meaderos encharcados. Entonces ¡claro!, ¿para qué ponerle toldos ni tablas ni latas ni ninguna otra cosa que lejanamente sirva de resguardo, de tapadero o de lo que sea? A ver, ¿por qué y para qué? Ese es el detalle. Allá el desgraciado que quiera venir y cocinarse los sesos y el estómago; ¡nadie lo obliga! Sí, después de todo, contentos y felices deben estar porque haya aquí un poco de ron, de aguardiente o líquido de freno. Contentos y felices, además, porque haya alguien que se tome el trabajo de medir las líneas, servirlas, cobrarlas o... ¡el coño de su...!»

—Oye Felo —dijo el que estaba delante de él—, ¿me estás atendiendo o qué? ¡Con este ruido de mierda...!

—No, Zúñiga, sí... —dijo Felo—; lo que pasa... ¿Tú has visto ese chorro de sol? A ver, dime, ¿por qué no cuelgan ahí, no sé, unos tolditos....? ¡El sol de Cuba! ¿Te das cuenta que esto no se parece en nada a esos carteles de turismo, con mesas repletas de frutas, cócteles bien sudaditos y jaiboles y putas con trusitas de esas...? El sol de Cuba, el sol de Havanatur; las playas, los hoteles, las piscinas. ¡El verano es así! Claro, pero ¿qué verano, el de quién? Y luego esas fotos azulitas, con esas barras, esas mujeres, esos tragos, esa atmósfera celestial de nocturnidad interminable, cerradita, fría. ¿A quién queremos parecernos o a quién queremos engañar? Dímelo tú. Claro, yo cojo ahora una buena cámara, con rollo a color y... ¡no sé!, tiro desde este ángulo, enfoco hacia allá, por sobre toda esa mierda... Figúrate, una maravilla: el folclore cubano, los destellos, las luces, ¡ese puñetero cielo! Mira esa barra, esa gente... ¿Te das cuenta? Yo meto ahí un lente, encuadro y... ¡Qué te voy a decir! Un encanto. Los negritos, los churrosos, todos esos tipos barbudos y apestosos, con sus gorritas, sus pulóveres rotos, sus cadena y guindalejos... ¡Hasta la botella de Bocoy! Cuba, su sol, su gente. ¡Havanatur los invita! No digo yo; cualquiera saltaría desde París, desde Austria, Noruega o Finlandia para acá. Qué ambiente, qué gente estrafalaria, qué ricura tropical, qué vacilón. Cuba es un eterno verano: venga al Niágara, en la céntrica calle Línea. Línea y dieciocho. ¡El Bar Niágara espera por usted, visite a su agente Cubatur! Algo por el estilo. Una cámara en la mano es un fenómeno. Y si realmente uno se pone a pensar... —resopló, se borró el rostro con las manos—. Bueno, perdona, no vayas a creer que ese asunto tuyo...

—Mira, Felo, yo no creo un carajo de nada. Además, aquí no se puede pensar, ni creer ni hablar ni... Parece que este sitio no se hizo para eso. Mejor nos metemos un doble y nos vamos o ¡no sé!

—Zuñi...

—Sí.

—Atiende.

—En eso estoy.

177

—No vayas a pensar...

—¡Ya te lo dije! ¿Quién puede pensar aquí?

—Zúñiga, por favor. Ese asunto tuyo me tiene la cabeza caliente.

—Te lo creo. ¡Con este sol!

—Zuñi...

—¿Me vas a sacar una foto?

—Zuñi...

—¡Al carajo, Felo! «Zuñi, Zuñi»: ¿Qué te pasa con eso? Estás ahí en una cosa loca, ¡bizca! Las fotos, el color, Havanatur, ¿qué te pasa a ti con esa mierda?

—Zuñi...

—Vaya, carajo.

—Quisiera ayudarte. Presta atención; yo tengo un abogado ahí...

—¿Un abogado?

—Sí, fíjate, un abogado que...

—Felo, por tu madre, esto no es un asunto de abogados. Deja esa bizquera. Lo que necesito es un permiso, y no es un permiso que pueda gestionar yo, con o sin abogado; recontra, ¡métetelo en la cabeza! Esa mujer me tiene en sus manos.

—Pero las leyes no se hicieron por...

—¡Las leyes pinga, Felo! ¿Qué coño voy a hacer? ¡Aquí todos los días hacen una ley distinta! Hoy una cosa, mañana otra. Y hoy por hoy la casa es de esa mujer. Ella es la única propietaria; ella, ella y nadie más, ¿comprendes?

Felo miró al otro que vestía pulóver de colorines y pitusa prelavado; un hombre muy deportivo, un niño, pensó.

—Zúñiga —dijo, sin tener muy claro lo que iba a decirle—, espera... Me parece que tu tío...

—Mi tío nada, Felo. Olvídate de eso.

—Pero ven acá, ¿tú no me dijiste que tu tío fue el que te ofreció la cabrona azotea para construir cuando se juntó con esa mujer, el que...?

—Sí, Felo.

—¿Entonces?

—Ah, carajo. Felo, pon los sesos aquí y atiéndeme, recontra,¡atiéndeme!

—¿Tú sigues viviendo en casa del socio ese...? ¿El que tiene la madre enferma?

—Sí, pero ahí está el detalle. El tipo me habló el otro día y me dijo, mira, tú sabes cómo son las cosas, ya la vieja... Bueno, en fin, Felo, que tengo que salir de ahí. ¡Y mi mujer al parir! Todo lo otro creo que se fue al carajo: dinero, inversiones, trabajo, jodiendas... Mira, para empezar, vendí el vídeo, la grabadora... Y encima, dos mil cañas. Y nada; sólo para instalar a esa mujer, hacerle los lavaderos, el cuarto de baño de abajo, ampliarle la cocina... Y el asunto de altura, el de la azotea, ¡el mío!, esperando, a buchitos. Pero, bueno, cerré, levanté las columnas... ¡y ahora la placa...!

—¿Y en medio de todo eso tu tío qué...?

—Le dio por caerle mal a esa mujer. Se fajaron, ya te conté. ¡Qué rico, Felo, justo en este momento! Nada, estoy embarcado. Si yo llego a saber que el Perico era sordo...

—Hagamos una cosa —dijo Felo extendiendo los brazos—. Cuéntame toda esa historia desde el principio, de cabo a rabo; va y se me alumbra la cabeza, va y...

—Sencillo, Felo, sencillísimo: he estado arando en el mar.

—¿Cómo arando?

—Sí, con trescientos mil problemas y jodiendas por medio, corriendo de un lugar a otro, aplacando aquí, ta-

pando un salidero allá, cuidando a mi mujer, a la vieja...
Y luego los vecinos, ¡el tenientico ese!

—Zuñi, Zuñiguita, perdóname, pero mira, tú... tú
siempre me presentas las cosas de tal manera que no sé,
me imagino estar viendo uno de esos muñequitos del Pato
Donald, enredado en un sinfín de calamidades.

—¿El pato Donald?

—Sí, no sé, quiero decirte...

—¡El pato Donald!

—No, pero atiéndeme...

—¡El Pato Donald! ¿Alguna vez tú te has metido
en un lío de construcción, por simple que sea? ¿Te has
metido tú...?

—Atiende, Zuñi.

—¿Te has metido? ¿Has tenido que hacerlo?

—Zuñi...

—¡Dímelo, coño! ¿Has tenido que hacerlo? O por
lo menos...

—Zuñi, Zuñi, mira; lo que quiero decirte...

—¡El Pato Donald!

—Zuñi...

—¡El coño de mi madre!

—Bueno, Zuñi, ¡ya! Lo que... lo que...

—¡El Pato Donald! Ahora también tú...

—Zuñi, ya, atiende. ¡Olvídate del Pato Donald! Lo
que quiero decirte con eso... Escucha, coño. Lo que quiero decirte es que tiene que haber una salida, un escape, un
arreglo, ¡algo! Yo no puedo creer...

—Esto no es un problema de creencias, Felo. ¡Y
sácame al Pato Donald de esta jodienda!

—Bien, pero...

180

—Pero nada, Felito. *Nada*

—¿Cómo nada? Aquí hay un asunto práctico, un asunto que por muy difícil que me lo pongas es un asunto de este mundo, de este...

—Sí, de este mambo loquísimo, eso.

—Así no vamos a ninguna parte.

—¿Y quién va aquí a ninguna parte?

—Por Dios, Zuñi.

—No sigas con esa bizquera entonces.

Felo bajó la cabeza, olfateó el vaso, se dio un trago; un moscón verdoso zumbó alrededor de él.

—Tratemos de poner en orden este rompecabezas —dijo—; tu tío...

—Mi tío, sí, ¿qué?

—¡Déjame hablar! Tu puñetero tío...

—¡Olvídate de mi tío, Felo! Estás trabado ahí...

—No, lo que trato es de saber, de llegar a alguna... Zúñiga cerró los ojos, resopló despacio.

—Felo, atiéndeme; hace más de quince minutos que estás con lo de mi generoso, bárbaro y singado tío. No seas bizco; liquida eso. Ya te expliqué que en estos momentos mi tío no cuenta, no existe, no... ¡La mujer lo botó! ¿Cómo te lo puedo meter en la cabeza?

—Oquei; no hay tío.

—*Hay tío,* desgraciadamente. O peor, *hubo.* Ahora estoy solo lidiando con esa mujer, tratando de salvar un cojonal de pesos, de esfuerzos... Estoy tratando de rescatar por lo menos año y pico de trabajo, de... Bueno, tú no tienes ni idea. El Pato Donald se quedaría loco con eso.

Felo le dio vueltas al vaso de ron. Miró hacia los dos centímetros de barra donde se apretujaban borra-

chines, mecánicos de la Girón, plomeros, albañiles, bisne-
ros, periodistas, músicos, gente de playa y de carros y
toda la más rara mezcolanza del mundo. En esos momentos su mente estaba vacía o llena de cosas imprecisas,
bastante ajenas a todo aquello. Hizo un esfuerzo.

—Zuñi —dijo, sacando los pies de la línea de fuego del sol—. Perdóname que insista con lo de tu tío...
¡Espera! Espera, espera. Cuando hace par de años...
¡Atiéndeme, coño! Cuando hace par de años tu tío te ofreció la azotea... Espera; ¿me dejas hablar? Escucha, cuando él, cuando te ofreció la azotea... ¡Porque tu tío no está
loco, creo yo! Cuando te la ofreció es porque segura-
te ya él tenía cuadrado eso y había previsto...

—Felo, eso es bizco. Dime, ¿quién puede prever
que...? Por Dios, dos personas se juntan, ¡aquí o en China!, y las cosas van de maravilla; pero un día, sea de una
parte u otra, surge una jodienda, una desavenencia de
esas... ¡y a bolina el papelote! Cada cual por su lado. Y
luego las broncas, los litigios ¡los odios esos! Esa mujer
no puede ver ni en pintura a mi tío, no resiste ni que le
mencionen su nombre. ¿Tú crees que en esas condiciones ella va a permitir que yo, este mariconcito, este
güevón, sobrino del hijo de puta de su marido, siga tan
campante, fabricando allá arriba, en la resingada azotea
de resingadísima casa, así, de guaguancó?

—¡No, espera! De guaguancó no; ¡había un negocio por medio!

—Sí, *había*. «Había una vez...» ¡Eso es un cuento
bizco!

—Zuñi, por lo que más quieras, no te cierres. Acla-
remos. Por mediación de tu tío, *por mediación de él,* ella

te cedió una azotea *inútil* a cambio de esos trabajos que le has estado haciendo en la casa. ¿No? Eso es un negocio ¡también aquí y en China!, una cosa que... ¡digo yo!, no se puede pasar por alto así como así. ¿Estamos? Además, a ella, atiende, a ella *le conviene* que tú le fabriques arriba, con escalera y entrada aparte, *independiente*. Eso... ¡Atiéndeme! Eso le quitaría para siempre el quebradero de cabeza de las puñeteras filtraciones, el lío con las soladuras esas; incluso le vendría de maravilla, ¡de maravilla!, para su propia seguridad, para...

—No, ¡por supuesto! En eso sí estamos de acuerdo. Le viene de maravilla; a esa mujer *todo* le viene de maravilla, empiezo a darme cuenta. ¡Coño, no sé por qué no había caído en eso antes!

—¿Entonces?

El otro se dio un largo trago y sonrió pensativamente mirando el techo. De pronto se echó hacia adelante, bajó la voz:

—Felo.

—Sí.

—Escúchame. Dime una cosa; ¿qué tú crees?

—¿De qué?

—Déjame explicarme. Dime, ¿tú crees que ella quiere que yo termine de construir allá arriba? Es decir, ¿que acabe, que termine el piso?

—Zuñi, no sé. No creo. Según me cuentas, no...

—¿Entonces?

—¿Entonces qué?

—Piensa, Felo.

—Aquí no se puede pensar, tú mismo lo dijiste. Oye a esos tipos que tenemos al lado, ¡no hay quién carajo sepa de qué están hablando! Oye el escándalo de Chulampa y toda esa gente de atrás, oye...

—Haz un esfuerzo, Felito; sigue el hilo.

—Se me va a calentar la cabeza.

—Es el sol de Havanatur; olvídate de eso y pon los sesos aquí. Dime, ¿qué le conviene realmente a esa mujer? ¡Tú tienes muchas ideas!

—Te dije... Bueno, ahora no sé. ¿Cómo lo voy a saber?

—Te ayudo. Fíjate, ya ella está cómoda, bien instalada, con baño, cocina nueva, lavaderos, azotea trazada, columnas levantadas, cerramento... ¿Qué falta? A ver... Ah, porque es bueno que lo sepas, tiene además todos los materiales dentro: madera para el encofrado, cabilla, cemento, tantos metros de arena, de resebo, de gravilla, un cojonal de bloques...

—Que tú compraste.

—*Que ella compró.* Eso es un detalle: ella compró. Claro, con mi dinero. No te puedes imaginar la de carreras que dio. ¡La pobre! De verdad que me conmovió. Coño, qué tipa más chévere. Por poco se me saltan las lágrimas. Y todo por ayudarme, Felo. Por ayudar a esta parejita de recién casados, con la mujercita barrigona...

—No sé por dónde vas. ¡Me está entrando una picazón...!

—Ráscate y atiéndeme. Como tú dijiste, a esa mujer le viene de maravilla todo lo que le he hecho en la casa, en la bendita azotea, en...

—¿Entonces? ¿Cuál es el lío? Llevas una hora calentándome la cabeza con un asunto que al final... Porque, bueno, si a ella le conviene...

—Felo, no sea bizco. ¿Qué coño tú tienes en la cabeza? ¿No te das cuenta ahora del mambo?

—¿Qué mambo, Zuñi, por tu madre? ¿Por qué me sacas en este enredo a Pérez Prado? ¿De qué me tengo que dar cuenta?

—¿Te lo tengo que explicar? ¿Te pongo el biberón en la boca, la maruga en la mano?

—Sí, a ver, explícamelo; me voy a poner el biberón en la boca.

—¡Hace rato que tienes el biberón en la boca!

—Bien; tengo el biberón, la maruguita. Explícame, detállame. ¿Cuál es el mambo?

—¿De verdad que no te das cuenta, que no empiezas a...? Fíjate, pongo el dinero, los materiales, le fabrico, ¡la instalo!, y cuando comienzo a levantar yo, qué casualidad, ¡rácata!, la bronca, el escándalo, la tiradera de ropas para la calle, los vecinos... ¡Qué clase de teatro montó esa mujer!

—Espera, Zuñi. No entiendo. ¿Tú quieres decir, quieres insinuar...?

—Sí, Felito. Sí, mi padre, eso mismo; casi estoy por cortarme los cojones. Parece... Es como si... Felo, por mi madre, te lo juro; si reúno todos los detalles, parece una cosa planificada, premeditada, no sé. Es que es tan perfecto, tan... ¡Qué bien le salió el asunto este a mi socia!

—Espera, no te mandes a correr. Esas son cosas de tu cabeza, porque si así fuera... No sé; en ese caso a ella le convendría más que tú hubieras terminado, rematado. Ponte a pensar. Yo creo que tú...

—No Felo, no; este es el momento perfecto, exacto. ¡Esa hija de puta tiene una maquinaria de reloj en la cabeza! ¿Te das cuenta?

—Me la estás poniendo en China.

—Piensa, Felo; está clarísimo.

Felo resopló, miró en su vaso. En todo el bar se levantó una ventolera caliente y sucia, una gritería infernal.

—Zuñi, por tu madre, se me está acabando el ron, la paciencia, ¡el coño de mi madre!

El otro dio un salto.

—¡Felo, la tipa me metió un biberón de este tamaño en la boca!

—Zuñi, siéntate. Atiende; me voy a derretir aquí. Necesito un refresco, un helado, ¡un poco de aire fresco!

—Pero Felo, ¿de verdad, no la cogiste ya?

—¿Qué cosa, Zuñi? ¡Me cago en mi madre! ¿La maruga?

—¡La maruga la tenemos todos!

—Zuñi... —Felo sorbió la última gota de ron de su vaso—, Zuñi, me va a dar la alferecía; habla claro, ¡recoño! ¿Por qué le conviene más a la tipa parar la obra ahora y no después, cuando esté acabada, lista? Porque si se trata de cálculo...

—¿Cálculo? ¡Ahí es donde te vas a quedar bizco! Bizco y huérfano.

—Zuñi, no quiero cagarme en tu santísima madre. No te puedes imaginar el esfuerzo que estoy haciendo, ¡hasta qué punto me estoy controlando! Mírame. Estoy viejo y acabado. No puedo pasarme el día aquí sudando, tratando de adivinar, devanándome los sesos.

—Felo —dijo el otro, implacable, la cabeza en alto, los ojos cerrados—, piensa; ¿qué pasaría si yo hubiera terminado el techo y hubiera metido a mi mujer allá arriba en las alturas, con el niño ya casi en la boca? ¡Dímelo!

—¿Como que qué hubiera pasado?

—Sí, dímelo; ¿qué pasaría, qué hubiera pasado?

—Bueno, Zuñi, si tú... ¿Quieres decir...?

—No sé, no quiero decir nada. ¡Dímelo tú!

—¡Al carajo, Zuñi! Este enredo no lo inventé yo. ¿Me quieres achicharrar los sesos o qué?

—Felo, estoy en una situación jodida, desesperada.

—Bueno, perdona, Zuñi; pero es que también tú...

—Ya veo que no vas a dar en el clavo.

—Acaba con eso Zuñi, ¡acaba! Me atormentan las adivinanzas, ¡me enferman! No sabes lo mal que me cae que un tipo me ponga en trance de estar adivinando o deduciendo o cualquier otra puñetería por el estilo. Termino por cogerle odio.

—Bien, te lo voy a decir yo. Presta atención. ¿Sabes lo que hubiera pasado tres segundos después de haber tirado la placa?

—¡No sé, no quiero saberlo!

—¡Lo sabes!

—Zuñi, ya esto es sadismo barato. ¿No ves cómo me saltan los ojos? ¡Mírame los ojos!

El otro continuó, absorto en una idea suya:

—Felo, dime una cosa, ¿cómo y dónde yo vivo? ¡No tienes que adivinar nada!

—Oquei; vives en casa de un socio que te prestó el apartamento, allá en La Lisa. Te lo prestó porque él tenía que ir a cuidar a su madre durante un tiempo, quizá porque estaba enferma, recién operada, loca ¡o qué sé yo! ¿Bien? ¿Tengo que darte la dirección exacta o algo por el estilo, o acaso una memoria descriptiva del inmueble? A lo mejor quieres los nombres y los parentescos de todos los vecinos, o que adivine el número de azulejos del baño, ¿no?

—No hace falta; el baño no tiene ni azulejos. Sigue.

—¿Qué coño quieres que siga?

—Felo, tú lo sabes; vivo prestado, en un cucurucho así, allá en la casa del carajo. Estoy fajado con mi santísima suegra, perdí la Micro... Y ahora. ¡perdí también la azotea, el dinero, el tiempo! ¿Cómo entonces no vas a saber lo que haría dos segundos, un segundo después de tirar la cabrona placa esa?

—Bueno, Zuñi; eso ya me lo dijiste: llevarías corriendo a tu mujer para allá arriba, ¡en un helicóptero!

—¡Eso!

—Y bien, ¿qué?

—¿Cómo que qué? Felo, Felito, ¿no te das cuenta que si mi mujer pare una chama en esa azotea...? Por tu madre, abre los sesos.

—Si tu mujer...

—Sí, si mi mujer pare o se instala allí. Si... Bueno, qué sé yo; a lo mejor en estos momentos, mientras me atraco de gofio aquí, ya está con los dolores y... ¡coño, se me va a ir para casa de la resingada, de la reputadísima suegra mía! Me va a parir allá, allá... ¡no aquí arriba! ¿Te das cuenta? Se me va a sembrar en casa de la bruja esa, ¡y al carajo todo lo demás!

—Zuñi, espera; eso es bizco, como tú dices. Piensa, también se puede sembrar en casa de tu socio. ¡Él tiene ese peligro encima! Probablemente lo sabe, y de ahí todo ese apuro para que dejes el apartamento, ¿no? Basta que dé a luz en el balcón, en la cocina o en el pasillo.

—Es distinto, Felo. Allí sólo vamos a dormir, si acaso. Además, ella ni siquiera está en la libreta.

—¡Aun así! Si le da la gana no hay quien la saque de ahí; se clava, se atornilla, ¡se siembra! Mete al CDR, la Federación allí... ¡Imagínate!

—Felo, por favor. Ése es mi socio. ¿Cómo tú crees...? Piensa mejor en la azotea; pon tus deducciones allá arriba y dime. ¿Te das cuenta por qué esa extraterrestre paró la obra donde la paró?

Felo lo miró, abrió los ojos:

—No jodas.

—Pues sí señor.

—Zúñiga, ¿no te parece todo esto un poco...? ¡No sé! Es difícil creer que alguien tenga tanto cálculo, tanta mala leche.

—Sí, es difícil, tan difícil como que un padre viole a su hija de seis meses y luego se la coma con papitas fritas. ¡Dificilísimo! Pero ocurre, ¿sabes? ¡No tienes idea de quién es esa mujer!

—¿Ahora también me quieres hacer vomitar? Además, no sé... En el fondo... Mira, Zuñi, perdona; no se trata de que tú, como estás ofuscado, ¡y con razón, digo yo!, vayas a... a... figúrate, transformar, desvirtuar... ¡No sé si me explico! Después de todo esa mujer...

—Esa mujer es una extraterrestre, Felo. Trata de no pensar en ella como en un ser humano, y no intentes verla a través de todos esos sentimientos, puñetas y absurdos nuestros; ¡te perderías en una clase de bizquera que...!

—Zuñi.

—Dime.

—Tranquilízate. Tienes una obsesión con esa mujer, una idea fija, una locura ahí... Así no vas a llegar a ninguna parte. Necesitas quitarte todas esas musarañas

de la cabeza, ver las cosas con más objetividad, más fría-
mente. Fíjate, atiéndeme; como están las cosas, tú tienes
que irle por abajo, conversar con ella, suavizar, ¡arreglar
ese potaje! No te le pongas de frente, no te dejes sacar de
quicio.

—¡Ya hace rato que esa mujer me tiene fuera de
quicio!

—Serénate. Escúchame, Zuñi; si te pones a verla
como un monstruo no vas a poder ni conversar con ella.
Y eso es importante. Muéstrate, no sé, amable, comprensivo, ofrécele cosas, ¡dale seguridad! No seas bobo. Después de todo ella es la que tiene la sartén por el mango, y
tú no estás en situación de exigir. Tienes que escucharla,
ceder. ¡Táctica, Zuñi, táctica! Mira, tú eres un muchacho
inteligente, simpático. ¡Usa la cabeza! Lo vas a perder
todo si te pones ahí a machacar en frío. De a cojones no
vas a sacar nada. ¡Tranquilízate!

—¿Tranquilo? Sí, estoy tranquilo, tan tranquilo
como el otro día que por poco la estrangulo. Mira, la cogí
así por el cuello... ¡Y coño!

—Malo, malo. Ya sabía yo. ¿Así que tuviste una
bronca con ella?

—Tremendo escándalo. Aquello fue del carajo; los
gritos, los vecinos bizcos, la patrulla.

—Por tu madre, Zuñi, ¡la cagaste! Ahora sí estás
frito. ¿Y qué pasó?

—Qué se yo, Felo. Imagínate. La policía, el papeleo...

—¿Te acusó?

—No... O bueno, ese no es el caso. A ella tampoco
le conviene...

190

—Ya, me imagino lo que a ella le conviene. ¡Le pusiste el anillo en el dedo!

—¿De qué cojones estás hablando?

—Mira, Zuñi, no te vayas a caer de la meta. Tú no eres bobo ni un carajo. ¿O es que no te das cuenta?

—¿De qué, Felo? Habla claro.

—Niño, está clarísimo.

—¡El coño de tu madre! ¿A qué viene ese tonito de mierda? Mira, Felo, yo tengo una clase de empingamiento que... ¡no sé!

—Si pudieras... Claro, yo sé que es difícil. Pero si pudieras dejar a un lado ese puñetero machito cubano que llevas dentro y pusieras tu cabeza en función de lo que realmente debes... Coño, vas a constituir un hogar... o bueno, por lo menos, ¡preñaste a tu mujer! Ahora tienes que hacerle frente a eso y luchar para... Y fíjate, no con pinguitas ni cojones, sino con cerebro.

—¿Y qué he estado haciendo hasta ahora? ¿Empinando chiringa o qué? ¿Quién sabe dónde recoño se le va a trabar a uno el paraguas?

—Bueno, eso es verdad. Pero la cagaste al final.

—Mira, Felo, en estos momentos, no sé, tengo un ruido aquí dentro, en la cabeza... Y luego, estos hijos de puta que tenemos al lado... ¡Míralos!

—Olvídate de esa gente y atiéndeme, atiéndeme un momento. Escúchame, Zuñi; yo soy tu socio.

—Bien, Felo; oquei, dime.

—Piensa una cosa, ¡una sola cosa! Caíste en la trampa. Esa bronca... Porque, a ver, ¿qué sacaste con eso? Le diste por la vena del gusto, ¿o es que no te das cuenta que esa bronca, con policías y vecinos y todo ese escándalo, a ella le viene de perilla? De acuerdo con lo que me pintas, deduciendo, no creo que hubiera nada mejor dentro de sus cálculos. Es lo perfecto, el remate. Ahora te va a ser difícil, si no imposible, volver por esa casa, rescatar algo... No sé si me explico.

El otro lo miró un rato. Felo pensó que, después de todo, había algo infantil en Zúñiga, cierto desamparo. Se puso sentimental. El sol Havanatur alcanzaba ya la barra, entrando inclinado, como un cuchillo de fuego a través de las arcadas.

—Bueno, Zuñi, perdona. Este asunto... Pero, fíjate, tampoco vayas a creer que todo está perdido. Esto lo vamos a hablar con calma, tal vez en otro momento, y voy a consultar y esas cosas. Incluso puedo ir a ver a esa mujer y, no sé, entrarle por otro lado, negociar con ella. Yo tengo mis trucos. No te vas a quedar en la calle. Seguro, Zuñi. Puedes estar seguro de eso. Esa mujer no se va a salir con la suya; las cosas no son tan fáciles. Lo que hay es que manejar el asunto de otra manera. Yo sé lo que te digo. Tranquilízate ahora. Dale un tiempo a esto. ¿Oquei?

—Oquei, Felo, ¡oquei! —resopló el otro—. Oquei, vamos a mandar al Chulampa a la barra; que se tome un doble y nos traiga media botella. Digo media botella, no sé... Tengo aquí... ¡Necesito despejar!

—Eso está mejor. Todos necesitamos despejar. Déjame ver ahora al Chulama —se volvió, miró hacia atrás, hacia los baños sulfurosos, hacia la hilera de sillas del fondo, dispuestas como los sillones de una funeraria, gritó—: Chula, Chulampa, ¡ven acá! Tú verás, Zuñi; el Chulampa es capaz de conseguirnos de allá al lado, incluso, media jarra de refresco a granel.

Pregúntaselo a Dios

Marilyn Bobes

Si quieres conocer, mujer perjura,
los tormentos que tu infamia me causó,
eleva el pensamiento a las alturas
y allá, en el cielo, pregúntaselo a Dios,
pregúntaselo a Dios.

Canción cubana

Iluminada Peña conoció a Jacques Dupuis una noche de decepciones en el Malecón de La Habana. Tenía los ojos llorosos y el maquillaje corrido y llevaba un vestido de lycra muy descubierto en la espalda. Era un vestido especial: el color amarillo resaltaba los tonos cobrizos de su piel y el cabello negrísimo y ensortijado; lo ceñido de la tela dejaba adivinar el torso esbelto, las caderas macizas y las extremidades largas y bien torneadas. A pesar de todo lo que su abuela pagó por aquella prenda a un traficante, tampoco esta vez el Bebo se había mostrado dispuesto a aceptar a Iluminada como pareja fija en el bailable de La Tropical.

Yanai, llevo cuatro días en Tulús y te extraño más de lo que podía imaginarme. Esto es muy bonito pero me aburro, sí, me aburro mucho. El fin de semana Jacques me llevó a una iglesia a oír música de muertos y allí me quedé dormida. Después fuimos a almorzar pero el restaurante no tenía techo y por poco me congelo. Dice Jacques que si siento frío ahora, que es verano, no sabe qué será de mí cuando llegue el invierno. Ayer conocí a Nadín, la que era mujer de Jacques. Fuimos a comer con ella y con el nuevo marido que tiene. Para Jacques no hay nada malo en ser amigo de esa mujer que le pegó los tarros. Incluso, trata a ese Fransuá como si nada, y eso que fue con el que ella lo traicionó. Si mi mamá se entera, diría que todos los franceses son unos depravados. Así que, mejor, ni se lo cuentes. Ni eso, ni las otras cosas malas que yo te diga en mis cartas. En la famosa cena, traté de hablar en francés, pero no supe. Me dieron tan poquita comida que me quedé con hambre. Yo pedí una cerveza, para acompañar, porque el vino de aquí me da dolor de estómago y una pesadez muy extraña, pero Nadin dijo que la bier (la cerveza) era un hábito de alemanes mal elevé. Yo sé que mal elevé quiere decir maleducada y aunque ella habló de los alemanes, me pareció que lo dijo por mí, por eso la miré atravesado. Enseguida Jacques me puso la mano en el muslo, como asustado de que yo me hubiera puesto brava.

Jacques Dupuis se acercó discretamente al muro y, después de contemplar un rato el mar, preguntó a Iluminada Peña por el *Castillo de los Tgres Greyes del Mogrro*. Ella había vacilado antes de contestarle: no le gustaba aquel asunto de los extranjeros y mucho menos después de la horrible experiencia de Marina Hemingway.

Esta mañana, por culpa mía, se rompió una jarra de porcelana. A Madame Dupuis le dio un ataque de histeria y después de hablar en ese francés que quién lo entiende, se encerró a llorar en su cuarto. Jacques se pasó la tarde

tratando de pegar los pedazos y me regañó porque dice
que yo bajo la escalera con mucha brusquedad. Esta no-
che vi a Lady Diana por televisión. Tú sabes bien lo que
dicen de ella las revistas pero, la muy mosquita muerta,
se las da de señora decente y camina como si pisara hue-
vos, te lo juro. Madame Dupuis se viró para donde yo
estaba y me dijo con su carita de huelepeos: Tu regar? Se
con sa. Por poco la mando para el carajo. Para colmo,
he estado soñando con Bebo. No sé por qué se me apare-
ce, si ya yo vivo en Francia. Jacques es mi esposo y es
muy bueno. Su único defecto es que se deja dominar por
la madre. Pero mi abuela y mi mamá, que son las perso-
nas que me más me quieren en el mundo, dicen que yo
elegí bien. Y yo creo que es verdad.

Antes de conocer a Jacques Dupuis y aceptar su invitación y sus primeras caricias, Iluminada Peña había tenido una sola aventura con extranjeros. Fue un día en que
el Bebo la dejó plantada en medio de un apagón. Carcomida por el aburrimiento, a la luz de un quinqué, escuchaba a su madre y a su abuela quejarse de la falta de
comida, cuando llegó la invitación de Yanai. Su amiga
vino con dos españoles en un Toyota rentado que los llevó hasta Marina Hemingway. Iluminada se enteró entonces de que en ese atracadero de yates, al oeste de La Habana, un viejo escritor americano había pescado agujas
en los años 50. Hemingway, sí. Iluminada había leído un
fragmento de *El viejo y el mar* en el segundo año de Pre,
antes de cansarse de tanto libro. Pero, ahora, Marina
Hemingway era un lugar lleno de hoteles, discotecas y
tiendas para el turismo.

Los gallegos, como decía Yanai, eran dos cincuentones jadeantes que hablaban a gritos, colorados por el ron y el sol de la playa. Iluminada se sintió mal desde el principio, y al filo de las once de la noche, cansada de esquivar el bulto de una barriga lujuriosa que le prometía cremas para la piel y jabones de baño a cambio de unas horas de felicidad, decidió fingir un dolor de muelas y dejar a Yanai todo el botín. Volvió sola al apartamentico de Neptuno y Espada. Una muchedumbre celebraba en aquel momento, con silbidos y aplausos, la restitución de la luz. Se sintió satisfecha porque alcanzó a ver las escenas finales de la película del sábado: allí donde Glenn Close, en una resurrección digna de Cristo, salía sorpresivamente de la bañadera, cuchillo en mano, dispuesta a defender su felicidad.

Ayer recibí tu carta y me dio mucha alegría, pero también tristeza. Sobre lo que me pides de tener paciencia con la madre de Jacques: tú no la conoces. Esa vieja es tremenda falta de respeto, Yanai. Como ha visto que sólo me pongo la ropa que Jacques me compró en La Habana y no los vejestorios que ella metió en el escaparate, hoy se me apareció con un paquete. Vualá, me dijo, ce purtua pasque tu te aville comin clochard. Clochard (lo busqué en el diccionario) quiere decir vagabundo. Abrase visto la muy atrevida. No me pude aguantar, agarré un pedazo de papel y escribí siete veces: Adele Dupuis, Adele Dupuis, Adele Dupuis, Adele Dupuis, Adele Dupuis, Adele Dupuis y Adele Dupuis y la metí en el congelador. Para que no joda más. Si puedes, pregúntale a mi madrina Clarita

qué otra cosa podríamos hacer para neutralizarla. Algo
sencillo, porque para mí sería muy difícil conseguir ga-
llinas prietas, cocos o plátanos de cocina. Los únicos plá-
tanos que se ven por aquí son manzanos. Dime si en la
casa están comiendo bien con el dinero que les estoy
mandando. No pienses que eso es fácil. Aquí la gente es
muy tacaña y se pasan la vida ahorrando. Haces muy
bien en no contarle a abuela las cosas que me pasan. Yo
sé cómo defenderme y la situación de ellas es mucho peor
allá. No dejes de ir a consultar a Clarita y contesta lo
más pronto que puedas.

La noche en que se conocieron, Jacques Dupuis la invitó
a *La Divina Pastora,* un restaurante que ni en sueños Iluminada Peña hubiera podido visitar. Se sentaron a una
mesa desde la que se divisaba un gran tramo de la ciudad.
Él improvisó un mapa sobre una servilleta y le indicó el
lugar exacto donde se encontraban. Entonces Iluminada
comprendió por qué veía ahora el Malecón como si estuviera en un barco: del mar hacia la tierra y no del muro
hacia el mar. Era la primera vez que Iluminada contem-
plaba La Habana, al menos esa Habana de las tarjetas
postales. Allí estaba Zulueta y el hueco del túnel y los
edificios despintados junto a la resplandeciente Embaja-
da de España.

Te escribo porque hoy es el día de la Caridad del Cobre y
estoy muy desesperada. Jacques se ha ido de viaje y yo
me aburro mucho. A veces salgo a mirar las tiendas, pero
ni me atrevo a entrar. En este país son unos racistas, so-

bre todo las dependientas de las tiendas. Nada más acercarme a las cosas, se me plantan al lado, como si yo fuera a robar. Cuando salgo con Jacques es distinto, pero la semana pasada se me ocurrió ir sola al cine y dos policías me pararon y me revisaron la cartera papel por papel. ¿Te acuerdas cómo se ponía el Bebo cuando se formaban aquellas broncas en La Tropical y venían los policías a pedir el carné? Eso no es nada comparado con lo que se ve aquí. Con estos si hay que andar derecho, porque al que se atreva a poner una mala cara se lo llevan y hasta le pegan, sobre todo si es extranjero. A una africana que vivía por aquí la botaron para siempre de Francia por revirársele a un policía. Y he oído decir que en España es lo mismo o hasta peor. Por eso te digo Yanai que pienses bien lo que vas a hacer si te casas con un gallego. De todas maneras tampoco creas que yo estoy tan mal, Jacques es bueno y me respeta. Cuando lo comparo con Bebo me doy cuenta de que ese sólo me quería para lo que tú sabes y nunca me dio nada. No dejes de escribirme pronto y contarme de todos por allá.

Jacques Dupuis e Iluminada Peña hicieron el amor por primera vez en una esplendorosa suite del Hotel Nacional. Para ella fue lindo, quizás no tan bueno como con Bebo, pero más delicado. Aunque él terminó rápido, la abrazó largamente y la tuvo mucho rato pegada a su cuerpo. Con el tiempo Iluminada aprendería que eso se llama tendresse. Era lo que más le gustaba de Jacques: la *tendresse.*

El domingo antes de su partida, le pidió que se casara con él. Reposaban bajo una sombrilla playera, después de un suculento almuerzo en las arenas finas de Varadero. Iluminada lo llevó a conocer a su familia y, conmovido por las carencias de todo tipo que descubrió en aquella casa, Jacques se apresuró a proveerla de cuanto estuvo a su alcance.

En el avión de regreso a Toulouse, Jacques no dejó de palpar ni un momento en su desmedrada billetera el saldo de aquellas decisivas vacaciones, una escueta factura en la que podía leerse: Recibí de Jacques Dupuis la cantidad de setecientos veinte dólares por concepto de matrimonio y protocolarización. La Habana, 28 de diciembre de 1991.

Mi amiga, hice todo lo que mandó a decir Clarita y ya se ven los resultados. Me di los baños con azucena y tiré los huevos en la puerta por donde la vieja tenía que atravesar. Ella estaba muy preocupada pensando quién podía haber hecho esa cochinerí, pero como no sabe nada de santos, ni por la mente le pasa que fui yo. Últimamente, paso mucho tiempo sola con Madame Dupuis. Jacques viaja mucho. Tú sabes que él representa a esa agencia que lleva turistas para Cuba y no siempre lo puedo acompañar. En el fondo, me alegro, porque cada vez que voy a esas comidas de negocios me siento como un elefante en una cristalería, paso muchos aprietos con los cubiertos y la finura de estos franceses. Siempre, después de esas comidas, Jacques acaba poniéndose bravo. Así que es mejor que yo no vaya más. Además, él quiere que yo baje de peso. Siempre había creído que le gustaba como era, tú sabes que eso se siente en la cama, pero después, cuan-

do vamos a alguna parte y veo a esas francesas flacas como palos de escoba, me doy cuenta de que a él le da pena que yo llame tanto la atención. Ahora, la noticia: en diciembre iremos a Cuba. Eso es algo que no me deja dormir. A veces, hasta sueño que Jacques y yo nos vamos a vivir allá. El otro día se lo insinué. Pensé que le gustaría, pues tú sabes que él es revolucionario de esa revolución que hubo en el año 68. Pero qué va: nada más hablarle de irnos a vivir a Cuba, puso una cara de espanto que me dejó helada. Y para decirte la verdad, eso no me gustó. Si en Cuba hubiera cosas y se acabaran los apagones sería un país mil veces mejor que este Tulús, lleno de gente egoísta y mala, que lo miran a uno por lo que tiene y no por lo que vale. De contra, son unos aburridos y no tienen playas ni saben bailar ni dicen nunca lo que sienten y son unos tacaños. Ya tú los conocerás, Yanai, si te casas con tu novio gallego.

Iluminada Dupuis está otra vez en el Malecón de La Habana y tiene de nuevo los ojos llorosos y lleva un vestido de flores con mangas de terciopelo y flecos en el escote sobre una falda negra, larga y evasé. A su lado, Yanai, que también llora y ríe y celebra aquella ropa elegante y el nuevo peinado de Iluminada, *estás bellísima, tú sí eres una reina y tienes al francés en un puño, loco por ti, tuyo, de más nadie, eso se nota, mi amiga, qué suerte has tenido, qué suerte.* Iluminada Dupuis sonríe con una tristeza incomprensible. Yanai, al menos, no la entiende, y se esmera colocando un pañuelo sobre el cemento húmedo para que su amiga no estropee el vestido, *ese vestido tan lindo, tan elegante,* mientras Iluminada recorre con los ojos el barrio en tinieblas y se entera de que el Bebo está preso, *lo cogieron robándose el algodón de un hospital.* Otras muchachas hacen señas a los automóviles de los turistas, y a Iluminada se le hace un nudo en la garganta cuando Yanai le cuenta que el gallego no ha vuelto, me mandó una postal y veinte dólares como regalo de navidad, imagínate, veinte dólares e Iluminada llora sin saber si lo hace por su amiga o por el Bebo o por su abuela o por su madre o por la habitación que ha dejado vacía y que ahora alquilan esporádicamente a los amigos extranjeros de Yanai.

Yanai: salgo para La Habana el martes. Mi amiga, en mi vida he sentido algo así, un brinco en el pecho, unos deseos de ver a mi gente. Ay, Dios mío, Yanai, no sé explicarte. A ti te llevo una blusa que te va a encantar. Cómo te quiero, Yanai, cómo los quiero a todos.

Iluminada vuelve a contemplar La Habana. La espuma de una ola la salpica y un resplandor que proviene del Morro inunda su cuerpo de una ruda claridad. Frente a ella se extiende el mar oscuro. Iluminada lo mira en silencio, desde la ciudad también oscura. A unos metros del muro, abrazados y tambaleándose, dos borrachos cantan y llenan de reproches a una mujer perjura y la invitan a un viaje imposible, hasta el mismo cielo. *Pregúntaselo a Dios, pregúntaselo a Dios,* repiten las voces temblonas de los borrachos. Yanai los mira y hace un guiño. Iluminada seestremece. Me voy *mañana,* anuncia con voz neutra, y su amiga se le cuelga del cuello e Iluminada siente su olor a perfume barato y sufre también por ese olor que ya no le pertenece.

El brazo y el lienzo

Alberto Garrido

Odio a Picasso. Odio mi brazo sujetando una lámpara en su Guernica, para que se satisfaga el sadismo de los hombres. En el último cuadro mi brazo pende sobre una plaza pública. Nadie lo mira, sólo un loco vestido con harapos que simulan un uniforme. Recuerdo la aldea arrasada, los escombros de las chozas milenarias y el viejo que acaba de salir de aquella boca negra abierta en la tierra, viene a mí portando entre las manos casi informes un bracito desgajado, aún sangrante, y me mira sin odio, sin nada y me dice: señor, ¿no ha visto el resto del cuerpo de mi niño?, lo he perdido. Y ahora, en el cuadro, mi brazo gira y va cambiando de color; primero es tornasolado, y casi idílico el brillo solar en los vellos rubios; luego abismalmente rojo, sí, ha desaparecido la piel, los tendones saltan nerviosamente como la carne de las reses sacrificadas que cuelgan a un lado de la plaza, entre amarillentos papeles de arengas. El brazo queda inerte y violáceo. Los pocos transeúntes cruzan la plaza y se llevan pañuelos a las narices. Bajo el cielo y la luna del trópico que pudre los contornos quedan ya unos restos abominables, lucios, albos, de las articulaciones. Debajo hay un grupo de niños con las manos a la espalda. Un cartel, *Museo de la prehistoria*. Una calavera abre las mandíbulas, esta vez odio la orden de combate, dice la guía de museo, dice y sus manos aletean entre los niños, dice y los niños se esfuman y en el brazo, entre el cúbito y el radio, se enredan la cadena y la chapilla. He pintado mi brazo rascándome la cabeza, sirviéndome el vino. Lo he pintado acariciando a una mujer de senos semejantes a misiles o cavando la tierra, junto a los baobabs enormes, antiquísimos, sacando una pierna aquí, un cráneo allá, formando un cuerpo lúcido de espantajo que envolvemos entre papeles de regalos con la inscripción: de vuelta a casa, job. Lo he pintado, por supuesto, masturbándome, y ha sido una presencia ajena, extrañamente masculina en mi sexo. Luego expuse en las galerías del mundo y recibí preguntas de reporteras babelianas. ¿Por qué? Simplemente he puesto en estos lienzos la presencia inescrutable de un espíritu absesor. No quise fotografías. Todavía recuerdo la foto en que abrazo a dos amigos, todos llevamos uniforme de campaña. Fue nuestra última foto; al día siguiente el enemigo hizo la gran ofensiva, dicen los diarios. Recuerdo los ronquidos de alcoholizado del capitán; su voz, un rato antes, su *me has mejorado, artista*. Lo pinté de cuerpo entero, en un cartón medio sucio de la barraca. El capitán estuvo mirándose largo tiempo entre los ruidos de la noche, bajo el candil. Cirios. El capitán mirando al capitán bajo las llamas de los cirios. Por los ojos del capitán del cuadro manaba una resolución imperturbable de héroe. El otro capitán tenía, bajo el candil, el apagado resplandor de la guerra de todos los días. A medianoche sentí sus pasos detenerse a mis pies, percibí su respiración ahora extrañamente asmática. Hubiera podido pintar su respiración. Durante mucho tiempo lo miré con los ojos cerrados y le tuve lástima. Al poco rato se alejó y escuché los ruidos que hacía al acostarse. Y no sé por qué, persiste ahora un tufillo en las caries, en la boca abierta del capitán, en sus ojos de plegaria que la sangre hipnotiza. Dicen que el capitán, rodeado por el enemigo, se despidió gloriosamente de la vida con la única bala que le quedaba al cargador. En ese momento, mi cuerpo moría con una violencia irrevocable sobre la yerba calcinada. El brazo y el arma cayeron a 30 pasos, pero en mis sueños de morfina pude ver al capitán, mirando fijamente el cañón de su pistola, verlo desaparecer dentro de su boca con una absurda transparencia fálica, antes de que un dedo se moviera hacia la Moria del gatillo. Dije morfina. Puedo pintar la morfina. Pintar el éter. Después de mi muerte, un crítico suscribió: «Sus cuadros revelan una angustia abismal, una profunda atracción por la muerte. Como en Van Gogh, sus últimas obras demuestran la pérdida del sentido de la fe, el despertar de la locura». Mis lienzos fueron expuestos y gentes de indudable lucidez se horrorizaron ante mis trozos de sienes regados sobre verdes telas. Pero esta maniobra pictórica (gestual) fue cuidadosamente meditada. Ahora me duelen las sienes. Nadie está aún preparado para recordarme. Al partir, era un problemático; ahora soy un problema, un dulce problema de la inmortalidad; parado ante el espejo; y veo a un hombre muy parecido a lo que debió ser finalmente Goya ante un espejo. Al hombre le falta el brazo derecho. Tiene de mí tan sólo esa forma de ladear la cabeza. Entonces pinto de negro el espejo, aunque luego mis padres lleguen y vean al espejo, muerto, y lloren. Secaré sus lágrimas con mi brazo. De todos modos, alguien sabrá que fui recibido con todos los honores, que fui besado por muchachas nunca antes vistas ni soñadas. Finalmente, bajo una salva de aplausos, me entregaron el trofeo, una caja larga y afelpada donde dormían todos los pinceles. Vi que los que merodeaban eran de algún modo felices. Para empezar, pinto a dios y a mi brazo mandándolo al infierno. Mi brazo izquierdo, con él pintaba y por entonces mis cuadros tenían cierta permanencia. Ahora, para crear, cierro los ojos, y al día siguiente me doy cuenta de que he perdido los lienzos en algún sitio de la casa, quizás tras los espejos, y al levantar mi mano derecha, al mirar esa mano ilógicamente real, siento en el pincel la áspera frialdad de una pistola.

La noche del mundo

Rolando Sánchez Mejías

1

S e mueve entre las sábanas mientras advierte la lividez de la luna. Sus pensamientos giran sobre el alba. ¿Qué sería del alba, sin ella, en el día que se avecina? Claro que la salida y consistencia del alba no tendrían la más mínima variación sin su presencia, pero siempre dejaba un margen para especulaciones como la anterior: entonces llegaba a la conclusión de que sin su presencia el alba ya no sería igual. Sobre todo porque su presencia en el mundo estaba signada por una red. ¿Qué sucedería cuando los que conformaban esa red despertaran una mañana donde ella estaría ausente? Por supuesto que no todos los puntos de la red tenían el mismo grado de importancia. No se podía comparar aquel muchacho, que en un cine le tocó indecisamente los muslos, al contador de su departamento. Del muchacho sólo recordaba el seco perfil, los ojos febriles y el tacto cálido y húmedo de sus manos. El encuentro había ocurrido sin la intervención de las palabras y ella había encontrado, en una novedosa extrañeza para su cuerpo, algo sórdido y dulce a la vez. No habían vuelto a verse. Por otra parte, la cercanía del contador era demasiado visible, edificada por la obsesiva reiteración de un tiempo finalmente prescindible. (Recuerda que sobre la silla del contador obtuvo un orgasmo pálido, un sol que se iba derritiendo cercado por el vaho de la cerveza, y que a partir de los escasos rasgos del muchacho en el cine, las piernas abiertas, la memoria de un dedo —ahora cadencioso en el espejo—, conseguía una exasperación azul, un irse súbito y brillante.)

Observa la mesa de noche: el reloj despertador, el vaso con un poco de agua, el sobrecito de pastillas. En un instante, su vida se cifra en esas cosas, que danzan en el cuarto concertando tramas diferentes, razones para afianzarse a la red o saltar fuera de ella hacia un espacio que le permitiría fluir (así imaginaba ella) en una pura virtualidad sin fin. Ahora la luna desaparece de la ventana dejando una oscuridad total. Semeja esta oscuridad con la muerte, pero sabe que la muerte sería la ausencia de esta oscuridad, una ausencia inimaginable, ajena a cualquier práctica de los sentidos.

2

Algunos de los momentos de la vida del muchacho, a partir del encuentro en el cine, pueden resumirse de la siguiente manera:

a) Estudios en un politécnico debido a necesidades económicas de la familia. Recurre intensamente a la pintura como escape a las asignaturas técnicas. Logra seguir todo el proceso de demostración de $A = \P r^2$ para olvidarlo enseguida. Las letras de la ecuación alcanzan, en su mente, una apariencia pictórica. Piensa que por medio de la pintura llega a cierto conocimiento del amor. O sea, no entiende bien qué es el amor. Al desnudar un cuerpo en una playa, sólo espera que la noche, los ojos y el frío se confundan en una combinación que aventura a nombrar amor.

b) En 1977 es reclutado por el Servicio Militar. Piensa que es una prueba para someter a su espíritu. (Suele emplear la palabra *prueba* en las situaciones límites. En *espíritu* es ostensible el prejuicio semántico: la entiende como integridad casi carnal.) A los pocos días descubre el concepto *necesidad* (antes lo había leído en algún manual de filosofía marxista): era necesario que la melena de Rivas, su compañero de litera, cayera bajo la maquinita del barbero, dando paso al brillo de su cráneo.

c) Una mañana el Político del Regimiento pregunta ante la formación si hay algún pintor para ornamentar la Unidad. Aclara que busca un pintor de pinceles, no de brocha gorda. El muchacho sale al frente de la formación y comienza una nueva temporada de su vida: se dedica a llenar las vallas de la Unidad con lemas, posiciones marciales extraídas de los reglamentos, frases de discursos, escenas didácticas con banderas / soldados / cielo luminoso /pedazo de tierra... Pide al Político que se aumenten las vallas. Enflaquece. Sus ojos y pómulos adquieren dureza. El sol de largas jornadas vigoriza su piel. Transcurren los meses y la Unidad rebosa de vallas.

d) Cuando la luna se pasea por el cielo y pinta de blancura las cosas del mundo, el aprendizaje deja una huella indeleble. El muchacho, uniformado, cruza Zapata y se interna en la Feria de la Juventud. Desanda entre los aparatos, se toma un refresco y observa como los árboles de un costado de la Feria se disuelven en las sombras. Desde los árboles, marcando con breves saltos la música, la enorme cartera colgando de un brazo, aparece una enana. Ella, al verlo, muchacho, se reincorpora al remedo de bosque. Él la sigue. Se arrodillan, uno frente al otro. Cerca destellan latas abiertas, algodones sucios, botellas vacías, restos de comidas mosqueadas. Ella extiende sobre la tierra una manta de campaña. Le cuenta al muchacho que la obtuvo al final de una madrugada, cuando varios soldados, en la garita de una posta, se la fueron pasando, de pie, como una muñeca, sosteniéndola por la espalda. Saca de la cartera un pañuelo, fotos, papeles ajados, un espejito, va colocándolos en la manta. Mientras las manos desplazan los objetos, su boca va trastocando las historias, finalizando siempre en el actual desamparo de la cartera. El muchacho, mientras acaricia la frente de ella, piensa que de algún modo, bajo la intensidad de la luna, la enana es absoluta, irreal, más allá de la visión que irradian las cosas, más allá del hábito, del orden y las máscaras

e) Al calabozo del Regimiento se entra por la calle donde la tropa marcha hacia el comedor. Antes del calabozo está el vestíbulo del Comandante de la Guardia. Allí reciben al castigado, lo anotan en el libro y le quitan el cinto y los cordones. El muchacho entra al calabozo. (El calabozo es el centro del orden en la Unidad. Aquí dormiría en el piso frío, no se bañaría y tendría alguna pelea por la comida o el rincón. Además, su pintura conocería, en las sombras, la dureza del signo en la pared, las palabras engastadas con una llave, el lenguaje anónimo de los encerrados en la noche central del orden. Gracias a la pereza del sargento que lo revisa, puede pasar el pomito de café que la enana, antes del alba, llena en la Terminal de Ómnibus. Las contemplaciones nocturnas, los estertores de la enana en la cópula feroz, la serena aquiescencia ante la deformidad, lograron, en el alba, un muchacho de complexión robusta, de férrea voluntad precisada en el mentón. Así, en un gesto rápido, toma el café, seguro, dispuesto a cualquier sacrificio, a la consumación del aprendizaje en un acto glorioso.

f) Hay una foto del muchacho con otros soldados. Es una de esas fotos que se suelen recibir de Angola. Unos de pie, otros agachados, un monito simpático en el hombro de uno de los que está de pie, unos con fusiles a la espalda, otros con fusiles apoyados en las piernas, detrás hay árboles y la selva se imagina más allá de los límites de la foto. El muchacho sonríe.

g) Resulta que dos semanas antes de la foto el muchacho obtiene permiso del Político para pintar un cuadro. El Político se entusiasma y le dice que aquí la fauna puede servir para salpicar lo didáctico. «Algo así como un realismo mágico», concluye el Político señalando un par de libros de Carpentier entre la lectura ideológica y militar apilada en los estantes. El muchacho le explica que para esa obra necesita levantarse un poco más tarde, pues no debe prescindir de ciertos detalles de la noche.

h) Cuando el muchacho muere (el estómago atravesado por una ráfaga) en manos del Político quedan pocas cosas con que preparar la cama del caído. Entre las pertenencias del muchacho el Político encuentra el cuadro. Lo único que le preocupa es su vaga terminación. «No había un animal, ni un paisaje, ni siquiera manchas», contó meses más tarde.

3

Antes de entrar, él dice un chiste bajo la lluvia. Ríen.

—¿Este es tu cuarto? —él se pasea dejando una huella de agua y apretándose los hombros por el frío.

—Aquí siempre hay frío —dice ella— ¿Quieres café?

—No —él se detiene ante la mesa de noche —Está vacío —dice alzando el sobrecito de pastillas.

Él sigue caminando por el cuarto y pregunta:

—¿Qué has hecho en estos años?

—Nada del otro mundo. No tengo historias que contar. ¿Y tú?

Él se para erguido y hace sonar las botas.

—Fui un buen soldado —las gotas de agua y sudor, heladas, salpican las sombras.

Ella sonríe:

—¿Hasta el último momento? Debe ser bueno emplear las energías hasta el último momento —levanta la cabeza y sus ojos brillan en la noche. Camina hacia la espalda de él y le tapa la cara.

—A ver, dime como soy.

Él queda pensativo, una mano sobre las manos de ella, rozándole las uñas, las falanges.

Ella lo lleva al espejo de la cómoda.

—Pudimos haber sido una buena pareja, ¿verdad? —dice juntando su rostro al de él.

—¿En qué sentido?

La luna, en el espejo, se balancea entre las dos caras.

—Nada, en el mejor sentido.

Ella le arregla una charretera del uniforme.

Él sonríe frente al espejo.

La luna se mece en el viento y se esconde en lo alto de la noche.

4

Las historias anteriores en algo engarzan con la fábula del maestro alfarero. El maestro, a diferencia de los otros personajes de esta narración, se ha casado, tiene hijos y un puesto de funcionario del Estado. Alterna su tiempo entre la retórica oficial y el noble trabajo con la arcilla. Sus manos lo mismo estampan una firma en un documento que modelan figuras con amor.

Un día el maestro examina su pasado y se pregunta: «¿Qué es la verdad?» Entonces comienza a extenuarse en el trabajo nocturno, urdiendo historias inacabadas con la figuras que surgen del fragor del horno. Desatiende sus deberes matrimoniales y su labor de funcionario pierde eficiencia. (En sus intervenciones olvida el asunto y equivoca las ideas políticas y económicas por términos artísticos. Por otra parte, siente impulsos de sustituir las palabras con las figuras que guarda en su portafolios.)

Una noche, apoyado en la ventana de su apartamento, contempla la ciudad. Le parece terrible la noche profunda que pesa sobre ella. «Falta la luna», piensa. El maestro (cuya maestría es medir sus propias fuerzas) se percata de que la terribilidad de la noche es anterior a cualquier empresa humana. Claro que sus fuerzas podían moverse entre el simulacro de una luna de papel a otras formas más perfectas de ilusión.

«¿Qué es la luna?», se pregunta. «¿Un buen motivo para un collage vanguardista? ¿Una razón para el aullido de un perro sobre la tierra? ¿Un aspecto más memorable de la muerte?»

En el insomnio de un pequeño cuarto vemos al maestro hacerse estas preguntas.

Sur: Latitud 13

Angel Santiesteban

Atrás, en el horizonte, sólo se veía el humo negro que se desprendía de los camiones. El avión se había retirado y temíamos que regresara para una acción de remate. En medio de nuestra prisa y el miedo, pudimos rescatar un herido. Era inútil el intento de arreglar el radio, estábamos incomunicados con el mando, dijo el radista. Quedamos ocho soldados y el capitán de la compañía que a última hora había decidido acompañarnos en la misión. Entonces ordenó la marcha para intentar el regreso a nuestro unidad.

Medina, que viene a mi lado arrastrando un pie herido, me pasa un cigarro; le doy una cachada y así va de boca en boca hasta que el calor nos quema los labios. De repente me doy cuenta de que han saltado el turno de Argüelles, el Violinista; pero él no protesta. Su único interés es su violín y lo tiene bajo el brazo que le sangra por la herida. Recuerdo que íbamos delante de los camiones y cuando sentimos el ruido del avión nos tiramos bajo las matas sin pensar en otra cosa que no fuera salvarnos, dejando todo menos las armas. Yo apretaba el AK contra mi cuerpo. Otros se lo ponían sobre la cabeza mientras mordían ya la chapilla. Eso yo no lo hago porque estoy seguro de que aquí no me van a partir; antes de salir para acá la vieja me dio un resguardito que viene con todos los hierros; al principio no quería traerlo por los comentarios y las burlas, pero como no pesa y es chiquito me convenció. Y aquí lo tengo. Pero Argüelles abrazó su violín como un comemierda mientras el AK le colgaba de su espalda, estorbándole. A veces me da lástima, creo que está jodido de la cabeza. Se unió al grupo nuestro y a algunos no les agradó, lo miran como a un niño bitongo. Nadie le dirige la palabra y creo que tampoco le hace falta.

Caminando nos sorprende la luna. Acampamos a la orilla de un finísimo hilo de agua. Se preparan las pocas latas de conserva que pudo salvar Crespo en su mochila. Rápidamente se comienza a sentir un olor que nos llena la boca de saliva. En un silencio total miramos las etiquetas de las latas vacías. Al fin, a una señal del capitán, nos acercamos a recibir nuestra parte. El Violinista hace lo contrario, echa a andar y desaparece tosiendo como una sombra blanca entre los árboles. Pero nadie le hace caso. Seguimos hipnotizados con el olor de las raciones. Entonces, traída por el viento, y desde algún lugar indefinible, nos llega una música hermosa y triste, primero débil, lejana, y que paulatinamente se va haciendo más intensa. Nos miramos sin saber qué pasa. De repente dejamos de comer, de movernos, y elevamos la mirada al fondo de esta inmensa oscuridad que nos cubre, y que nos hace implorar que amanezca, para saber que todo no ha sido más que una pesadilla. Así quedamos unos segundos inmóviles, hasta que Eladio se queja, no entiende por qué dejaron venir a cumplir misión a un hombre tan raro. Pero a Eladio le dicen que el Violinista nada más come de la buena y con servilleta porque nunca prueba de su rancho, y que por eso está como está, flaco y amarillento: es sólo gafas y violín. Ríen, y yo digo que en el campamento era igual, siempre me llamó la atención, el tipo es así. Otro interrumpe porque el herido no quiere probar la comida, tiene fiebre y delira, nos previene de los aviones. Todos, alrededor de la camilla, lo vemos regresar con el violín a cuestas, sentarse en el mismo sitio de antes, como siempre, en silencio. Da la impresión de que no se ha movido nunca de ese lugar.

Por la mañana decidimos seguir sin rumbo, encontrar alguna aldea. No sabemos qué es preferible, dónde peligramos menos; si aquí, perdidos en esta selva, vigilando las cobras para evitar que se nos metan por las botas y el pantalón mientras se intenta dormir, o encontrar la hospitalidad de algún kimberio lleno de kwachas, acechándonos con balas y cuchillos. Seguimos caminando, aprovechando las últimas fuerzas; el cansancio nos entra por los poros, por la respiración, por cada pensamiento. Siempre la misma fatiga, la que no repartieron en Cuba a la partida ni encontramos en todo el viaje en barco. Simplemente nos recibió cuando desembarcamos en esta tierra de magia negra; se nos ha metido dentro como un virus, y hay más en cada bolsillo para los peores momentos. Nuestros pasos son más cortos e indecisos. Los árboles escupen las últimas hojas de la temporada; los gajos, movidos por el viento, nos parecen una burla del camino. Esto es un laberinto donde el más precavido fue dejando caer semillas a cada paso para poder regresar, y resulta que si me dan un chance no paro hasta meterme en la cama con la vieja y pedirle que me castigue como antes, que no me deje salir a jugar a la guerra con los amiguitos del barrio, que esos no son juegos de niños sino caprichos de los adultos. A mis hijos nunca voy a comprarles pistolas ni escopetas. Y miro atrás, buscando alguna semilla, y sólo veo casquillos de balas, latas de conservas lamidas y oxidadas; al final nuestros enemigos, o noso-

225

tros, sus enemigos, ya me da igual, no somos más que pulgarcitos tratando de vencer al monstruo que somos nosotros mismos, que parimos estas escenas.

Llevamos varias horas caminando sin que aparezca un ser humano, una señal, un aliento de la más mínima civilización. Siento el mal olor de la pierna ya azulada de Medina, que en su arrastrar desesperante traza una raya en el camino, semeja una babosa y me provoca asco, pena y risa que trato de ocultar. Miro hacia atrás, hay varios rezagados, vuelvo la cabeza, parece que muy violentamente, y siento mareos, voy a perder el equilibrio, voy a caer, cuando nuevamente, aquella música que antes salía del cielo, ahora brota con extraña fuerza del violín de Argüelles, y me detengo, respiro hondo y comienzo a sudar la fatiga. Crespo nos mira, ¡como si el momento fuera para musiquitas! Pero todo comienza a cambiar porque sentimos un leve temblor en los pies que se mueven y se mueven, los huevos se me erizan y me excito con el roce de las piernas, y junto con él, el resto del cuerpo se estira también. Hemos vuelto a unirnos. Nadie lo ha mirado ni le decimos nada. Seguimos caminando porque ésa es la orden, caminar hasta algún lugar...

Nadie señala, la vemos, pero tememos que sea una alucinación. Todavía inseguros nos acercamos al borde de la casa. La madera carcomida. Por orden del jefe la rodeamos, y se adelanta hasta la misma puerta y llama. Una escopeta de dos cañones lo recibe apuntándole a la cabeza. Lo primero que pienso es que nos jodieron a otro. Me preparo para disparar en ráfagas y pongo cerca los dos peines restantes. El capitán deja caer lentamente su fusil y levanta los brazos. Conversa, mueve la cabeza, gesticula y señala. Retiran la escopeta y podemos respirar. El capitán regresa y nos reúne y dice que es una familia portuguesa medio loca. Nos pueden ayudar con una viandas, pan, agua y el kimbo del fondo. Medicinas no tienen, aunque se esté muriendo un hombre. Nos prestará un negro para que le ponga fomentos de hojas y barro. «Y que sea lo que Dios quiera», digo en alta voz pero nadie me mira. Me acuerdo que soy militante y los militantes no creen en dios. Entonces, escupo al cielo y me persigno. «Todo con la condición de que nos vayamos lo más rápido posible porque no quieren problemas con los kwachas», termina el capitán. La ropa del jefe me recuerda una perga de cerveza arrugada y vacía. Quiero decírselo a alguien, pero todos miran al Violinista que se aparta de nosotros para ver una bandada de aves blancas que emigran al norte. Eladio me toca con el codo, dice que ésas son las cosas que no le perdona, cualquier mierda le interesa más que nosotros. Y él continúa allí, clavando en la tierra las estacas de sus rodillas y con la vista fija por donde desaparecieron aquellos pájaros, esperando. Allá sólo queda el vacío.

Estamos a la sombra bajo una ventana, recordando las últimas palabras de la partida; adivinando el momento más propicio para un engaño de la mujer que se dejó y del que muy pocos se salvan. Los presos siempre piensan en la amnistía; nosotros en un pacto de paz y que nos devuelvan a casa. Regresa tosiendo y nos interrumpe. Se agacha en el suelo y todos nos corremos sobre las cajas de madera dejando un vacío que no ocupa nadie, porque ya tiene los ojos cerrados como los gatos, para no agradecer. Medina imita una melodía, pienso que para distraerse un poco del dolor de la pierna. Lo miramos esperando su reacción. Pero siempre se mantiene inmutable. Nos corremos de nuevo y le quitamos el espacio de la caja. Descubro en el rostro de Eladio los deseos de escupirle la piel al Violinista, que ya entonces es cuarteada y fina como el desierto.

Nos acostamos en el granero. Crespo prepara afuera, con lo que puede, aquello que llamaremos almuerzo. De repente, percibimos una música que nos consume, que se adueña de nosotros lentamente, lo cubre todo como una caricia que casi podemos tocar. A algunos el sudor le empaña los ojos. Nadie se mueve, los párpados cerrados, mirando ese galopar de sueños. Y sin saber por qué, a pesar de todo, sonreímos.

Ahora el portugués llama al capitán y lo invita a la casa. El jefe se resiste a entrar y quedan conversando en la puerta. Discuten hasta que el hombre enojado entra a la casa. El capitán nos observa pasándose la mano por el bigote. Viene hasta nosotros, y se queda mirando el violín en los brazos de Argüelles. Intenta retroceder, pero lo detiene la mirada del portugués que lo observa fijamente desde una ventana. Mira la pierna azulada de Medina que ahorita ya no es pierna; también las vendas manchadas de Luis. Entonces le dice al Violinista que el portugués cambia la guitarra por las medicinas necesarias para curar la infección de esos dos hombres y su brazo; cinco latas de carne; dos botellas de aguardiente casero y cigarros. Todos nos acercamos a clavarle los ojos en cada sucia parte del cuerpo. El Violinista retrocede, nos devuelve la mirada. El capitán dice que lo siente porque sabe lo que significa el violín para él; pero es una situación difícil, que comprenda. El silencio es su peor respuesta. El jefe lo sigue presionando hasta que logra levantarlo y detenerlo justamente frente a nosotros que cubrimos al capitán. «¿Usted se dejaría quitar el fusil?», le dice Argüelles. El jefe vacila. Y Argüelles nos recorre con la mirada. «Prefiero que me quite el fusil». El jefe niega: «No quieres entender». El Violinista baja la vista, los ojos se le humedecen bajo los lentes mientras aprieta el violín: «No», dice, «no». Nadie se mueve, seguimos mirándolo como si todavía no hubiera dicho nada. Observa las vendas de Luis, manchadas de sangre primero y ahora de líquido verdoso. También las moscas de la pierna de Medina que habían aparecido con los primeros temblores de la fiebre. Ve auras que vuelan por el mismo lugar donde antes cruzaron las aves del norte: «¿Es una orden?» El jefe asiente con la cabeza. Entonces, indeciso, deja caer el violín al suelo y dice: «Mierda». Y nos da la espalda. Y se aleja.

Desde entonces lo tenemos ahí. Han pasado cuatro días y no prueba la carne de las latas ni el aguardiente, ni nos mira, pero sabemos que si lo hiciera sería con odio porque no lo queremos con nosotros. El jefe ha decidido seguir camino. Y nos vamos de aquel lugar, arrastrando los cuerpos por esta tierra estéril. Ya perdimos la casa de vista, pero siempre alguien mira atrás, inconforme. El Violinista nos persigue como un perro. Ojalá se extraviara. No perderíamos el tiempo en buscarlo; para qué sirve un hombre acá que no conversa de su tierra, ni de la gente que dejó, ni dice mentiras. Ya hemos caminado varios kilómetros y se decide a descansar. Permanecemos callados, alguien escupe, otro patea una piedra. Él sigue echado, sin decir palabras. Nos acusa con su presencia, con su silencio. Se comenta que seguir camino sin provisiones es un suicidio. Lo miran buscando apoyo, pero él sigue ignorándonos. Tenemos tres heridos. Aquí sólo existe una consigna sagrada: sobrevivir. Ahora está de espaldas. «Guerra es guerra», dice otro. El capitán habla de principios. Nadie le hace caso. Sabemos que a veces, en medio de las balas, nos olvidamos por qué matamos: porque tienen otro uniforme, no se sabe; unos quieren encontrar una cantimplora con ron, otros buscan una revista pornográfica o simplemente comics... El jefe pregunta si todos están de acuerdo en regresar. Nos ponemos de pie con el AK preparado. Esperamos a Argüelles, debería ir delante, pero se mantiene sentado. Con la punta del fusil ha escrito en el fango: NO ROBARÁS. Eladio lo manda para el carajo y vamos de regreso. Y nadie atiende órdenes ni capitán. No hay formación ni despliegue. Ni pelotón ni soldados. Nos hemos quitado las charreteras y las insignias. Nada más que un grupo de hombres desesperados que entramos a la casa y sorprendemos al portugués y se le empuja y le quitan la escopeta. El negro quiere detenernos, nos grita que camaradas angolanos están cansados de ayudar a camaradas cubanos. Y mi reacción se tarda más que el gesto porque le doy con la culata y lo dejo tirado. Y vamos a la cocina y a la despensa y al cuarto de la niña y rescatamos el violín.

Cuando regresamos está haciendo trazos sobre el fango con la punta del fusil. Es un paisaje extraño, que no es de allá ni de acá. Sigue haciéndolo sin dar importancia a nuestra presencia. Entonces el capitán le grita ¡firme! y lo empuja y el fusil se hunde en el fango y le grita que estamos cansados de aguantarle su carácter, su falta de sensibilidad, su pereza, su rencor con los compañeros. Que puede sancionarlo por maltrato a la técnica y hasta fusilarlo por desertor... Así, que le descargue por todo, porque no se da cuenta de nada. Que le decomise el fusil, que ahora va a joderse, ahora va a tener que disparar con su violín de mierda. Y el jefe se lo tira en el fango y escupe y se va... Nos mira desconfiado. Se agacha y nos mira. Vacila. Y lo recoge y nos mira. Lo limpia con la manga de la camisa. Y nos mira. Y se va. Y nos deja, aquí, odiándolo.

Fichero de autores

FRANCISCO LÓPEZ SACHA. (Manzanillo, 1950).

Narrador y ensayista. Con *Descubrimiento del azul*, cuentos, obtuvo los Premios Caimán Barbudo 1986, Abril 1987 y La Rosa Blanca de la Unión de Escritores y Artistas de Cuba en 1988. Ha publicado, además, la novela *El cumpleaños del fuego* (1986, 1990) y los libros de cuentos *La división de las aguas* (1987) y *Análisis de la ternura* (1988), libro con el cual fuera finalista en el Premio Casa de las Américas en 1984. Su proyecto de novela *Voy a escribir la eternidad* obtuvo el Premio Razón de Ser en 1993, y su cuento *Dorado mundo* recibió el Premio de La Gaceta de Cuba en ese mismo año. Es profesor de Pensamiento Teatral en el Instituto Superior de Arte de La Habana, director de la Revista Letras Cubanas y vicepresidente de la Asociación de Escritores de Cuba (UNEAC).

1.- **SENEL PAZ**. (Fomento, 1950).

Narrador y guionista de cine. Obtuvo el Premio David en 1979 con el libro de cuentos *El niño aquel.* En 1983 publicó su novela *Un rey en el jardín* que mereció ese año el Premio de la Crítica. Con *El lobo, el bosque y el hombre nuevo* obtuvo el Premio Internacional de Cuento Juan Rulfo en 1990. Algunos de sus cuentos se han llevado al cine, al teatro y a la televisión. Sus guiones *Adora-*

bles mentiras y *Fresa y Chocolate* han obtenido premios en los Festivales del Nuevo Cine Latinoamericano.

«*Bajo el sauce llorón*» pertenece a su libro de cuentos *El niño aquel*, Ediciones Unión, La Habana, 1980.

2.- JESÚS DÍAZ. (La Habana, 1941).

Narrador, guionista y director de cine. Obtuvo el Premio Casa de las Américas en 1966 con el libro de cuentos *Los años duros*. En 1978 mereció el premio de Testimonio de la Unión de Escritores y Artistas de Cuba con *De la patria y el exilio*. En 1979 publicó su libro de relatos *Canto de amor y de guerra* y en 1987 su novela *Las iniciales de la tierra,* la cual mereció el Premio de la Crítica en ese mismo año. En 1992 fue finalista del Premio Nadal con su segunda novela *Las palabras perdidas*. Sus filmes *55 hermanos*, *Polvo rojo* y *Lejanía* recibieron el reconocimiento del público y la crítica.

«*Parque de diversiones*» pertenece a su libro de cuentos *Canto de amor y de guerra*, Editorial Letras Cubanas, La Habana, 1979.

3.- MIGUEL MEJIDES. (Nuevitas, 1950).

Narrador. Obtuvo el Premio David en 1977 con su libro de cuentos *Tiempo de hombres*. En 1981 mereció el premio de Cuento de la Unión de Escritores y Artistas de Cuba con *El jardín de las flores silvestres*. En 1982 publicó su novela *La habitación terrestre*.

«*Mi prima Amanda*» fue publicado en la Revista Bohemia en 1984 y en la Colección El caballo de coral, Ediciones Unión, La Habana, 1988.

4.- EDUARDO HERAS LEÓN. (La Habana, 1940).

Narrador y periodista. Ganó el Premio David en 1968 con su libro de cuentos *La guerra tuvo seis nombres*. En 1970 obtuvo la primera mención en el Premio Casa de las Américas con *Los pasos en la hierba*. Publicó los relatos de *Acero* en 1977 y *A fuego limpio* en 1981. En 1983 obtuvo el premio de Cuento de la Unión de Escritores y Artistas de Cuba con *Cuestión de principio,* el cual fue reconocido también con el Premio de la Crítica en 1986. Una recopilación de sus cuentos se publicó en 1989 con el título de *La nueva guerra*.

«Final de día» pertenece a su libro de cuentos *Cuestión de principio*, Ediciones Unión, La Habana, 1986.

5.- MARÍA ELENA LLANA. (Las Villas, 1936).

Narradora y periodista. Publicó los relatos de *La reja* en 1966. En 1983 publicó su libro de cuentos *Casas del Vedado,* con el cual obtuvo el Premio de la Crítica en ese mismo año. Se desempeña como corresponsal de la agencia de noticias Prensa Latina.

«En familia» pertenece a su libro de cuentos *Casas del Vedado*, Editorial Letras Cubanas, La Habana, 1983.

6.- REINALDO MONTERO. (Ciego Montero, 1952).

Narrador, dramaturgo y poeta. Obtuvo el Premio David en 1984 con la pieza teatral *Con tus palabras*. Publicó en 1986 *En el año del cometa*, poesía. En 1986 obtuvo el Premio Casa de las Américas con *Donjuanes*, conjunto de relatos. Su pieza teatral *Aquiles y la tortuga* fue llevada con éxito al teatro en 1988, año en el que publicó también **Fabriles**. Obtuvo el Premio Razón de Ser con su proyecto de novela *Maniobras* en 1991. Con su relato *«El arte de la fuga»* obtuvo el premio de la Diputación de Sevilla, España, en 1992.

«Happiness is a warm gun, Cary says» pertenece a su libro de cuentos *Donjuanes*, Colección Premio Casa de las Américas, La Habana, 1986.

7.- **ABEL PRIETO**. (Pinar del Río, 1950).

Narrador y ensayista. Obtuvo el Premio 13 de Marzo en 1969 con el libro de relatos *Un miedo encuadernado en amarillo.* Publicó en 1981 el libro de cuentos *Los bitongos y los guapos* y en 1982 la selección de ensayos de José Lezama Lima titulada *Confluencias.* En 1983 apareció la colección de cuentos *No me falles, gallego* y en 1989 su libro de relatos *Noche de sábado,* con el que obtuvo el Premio de la Crítica en ese mismo año.

«De Estupiñán y la ameba» pertenece a su libro de cuentos *Noche de sábado,* Editorial Letras Cubanas, La Habana, 1989.

8.- **LUIS MANUEL GARCÍA**. (La Habana, 1954).

Narrador y periodista. Obtuvo el Premio David en 1984 con el libro de cuentos *Los amados de los dioses.* En 1986 recibió el premio de Cuento de la Unión de Escritores y Artistas de Cuba con *Los forasteros.* En ese mismo año publicó los relatos para niños de *El planeta azul,* y el volumen de cuentos *Sin perder la ternura.* En 1990 obtuvo el Premio Casa de las Américas con *Habanecer,* cuentinovela.

«El vendedor de mariposas» pertenece a su libro de cuentos *Los forasteros,* Ediciones Unión, La Habana, 1986.

9.- AIDA BAHR. (Holguín, 1958).

Narradora y guionista de cine. Ha publicado los libros de cuento *Fuera de límite* (1983), *Hay un gato en la ventana* (1984) y *Ellas de noche* (1989). En 1990 realizó el guión de cine *En el aire*.

«Imperfecciones» fue publicado por la Revista Revolución y Cultura, No. 1-2, La Habana, 1994.

10. FÉLIX LUIS VIERA. (Santa Clara, 1945).

Narrador y poeta. Obtuvo el Premio David de poesía en 1978 con *Una melodía sin ton, ni son bajo la lluvia*. En 1983 recibió el Premio de la Crítica con los relatos de *En el nombre del hijo*. En ese mismo año publicó el volumen de cuentos *Las llamas en el cielo*. Su novela *Con tu vestido blanco* obtuvo el premio de la Unión de Escritores y Artistas de Cuba en 1987 y el Premio de la Crítica en 1988.

«Abelardo y el radio» pertenece a su libro de cuentos *En el nombre del hijo*, Editorial Letras Cubanas, La Habana, 1983.

11.- ARTURO ARANGO. (Manzanillo, 1955).

Narrador y ensayista. Publicó en 1981 su primer libro de relatos, *Salir al mundo*. En 1987 obtuvo el Premio Caimán Barbudo en ensayo con *Reincidencias*. En 1988 mereció el premio de Cuento de la Unión de Escritores y Artistas de Cuba con *La vida es una semana*. Con el relato *«Bola, bandera y gallardete»* obtuvo el tercer premio en el Concurso Internacional de Cuento Juan Rulfo en 1992.

«El estadio» pertenece a su libro de cuentos **La vida es una semana**, Ediciones Unión, La Habana, 1988.

12.- **MIRTA YÁÑEZ**. (La Habana, 1947).

Narradora, poetisa, ensayista y crítica literaria. Obtuvo primera mención en el Concurso 26 de Julio en 1978 con el libro de cuentos *Todos los negros tomamos café*. En 1980 publicó los relatos de *La Habana es una ciudad bien grande* y *Serafín y su aventura con los caballitos*. En 1984 publicó su novela *La hora de los mameyes*. Con los relatos de *El diablo son las cosas* obtuvo el Premio de la Crítica en 1988. *Las visitas y otros poemas* fue publicado en ese mismo año. En 1991 obtuvo el Premio de la Crítica con su libro de ensayo *El romanticismo en la narrativa hispanoamericana*.

«*Kid bururú y los caníbales*» pertenece a su libro de cuentos *El diablo son las cosas,* Editorial Letras Cubanas, La Habana, 1988.

13.- **LEONARDO PADURA**. (La Habana, 1955).

Narrador, periodista y crítico literario. Publicó en 1984 su libro de ensayo *Con la espada y con la pluma*. En 1988 apareció su novela *Fiebre de caballos* y en 1989 su libro de cuentos *Según pasan los años*. *Pasado perfecto,* su primera novela policial, fue publicada en México en 1991. En 1993 obtuvo el Premio Alejo Carpentier con el libro de ensayo *Un camino de medio siglo: Alejo Carpentier y la narrativa de lo real maravilloso,* y el premio de Novela de la Unión de Escritores y Artistas de Cuba con *Viento de cuaresma*.

«*El cazador*» fue publicado por Ediciones Unión, La Habana, 1991.

14.- **GUILLERMO VIDAL.** (Las Tunas, 1952).

Narrador y crítico. Obtuvo el Premio David en 1986 con el libro de cuentos *Se permuta esta casa*, y el Premio 13 de Marzo en ese mismo año con los relatos de *Los iniciados.* En 1991 mereció el premio de Cuento de la Unión de Escritores y Artistas de Cuba con *Confabulaciones de la araña.* En 1993 publicó su novela Matarile.

«*¿Qué es la felicidad?*» pertenece a su libro de cuentos *Los enemigos,* de próxima aparición en Ediciones Unión. Este cuento se encuentra antologado en *Cuentos cubanos contemporáneos* (1966-1990), selección de Madeleine Cámara, Universidad Veracruzana, México, 1989.

15.- **ABILIO ESTÉVEZ.** (La Habana, 1954).

Narrador, poeta y dramaturgo. Obtuvo el premio de Teatro de la Unión de Escritores y Artistas de Cuba con *La verdadera culpa de Juan Clemente Zenea* en 1987, y en ese mismo año el Premio de la Crítica. Publicó en 1987 *Juego con Gloria*, cuentos. En 1989 obtuvo el Premio «Luis Cernuda», España, y el Premio de la Crítica por su poemario *Manual de las tentaciones* Publicó en 1992 la pieza teatral *Un sueño feliz* y en 1993 *Perla Marina.*

«*Enviado del otro mundo*» pertenece a su libro de cuentos *Juego con Gloria*, Editorial Letras Cubanas, La Habana, 1987.

16.- **MIGUEL COLLAZO.** (La Habana, 1936).

Narrador y pintor. Ha publicado: *El Libro Fantástico de Oaj* (cuentos, 1964), *El viaje* (novela, 1965), *El Arco de Belén* (cuentos, 1975), *El laurel del patio grande* (prosas, 1982), *Estancias* (prosas, 1985), *Onoloria y otros relatos* (Premio de la Crítica, 1988), *La gorrita del Papa* (cuento, Premio de la Crítica, 1991) y *Estación Central* (novela, 1993).

«*Un asunto de altura en el Niágara*» fue publicado en la Revista Casa de las Américas No. 182, La Habana, 1991.

17.-**MARILYN BOBES**. (La Habana, 1955).

Poeta, periodista y narradora. Obtuvo el Premio David de poesía en 1979 con el libro *La aguja en el pajar*. Desarrolló una amplia labor como periodista en Prensa Latina y obtuvo numerosas distinciones en ese género. En 1989 publicó su segundo poemario *Hallar el modo*. En 1993 obtuvo el Premio de Cuento Edmundo Valadés, México, con el relato «*Alguien tiene que llorar*».

En 1994 obtuvo el Segundo Premio de Cuento en el Concurso convocado por la Fundación Flora Tristá, Perú, con «*Pregúntaselo a Dios*», relato.

18.- **ALBERTO GARRIDO.** (Santiago de Cuba, 1967).

Narrador y poeta. Fue finalista en el Premio Casa de las Américas en 1988 con el libro de cuentos *El otro viento del cristal*. En 1992 publicó su poemario *Siglos después de las fraguas de Vulcano*. En 1993 obtuvo el Premio de Cuentos de Amor con el relato «*Los tejedores de Anna Welsel»* y la Beca de Creación «Onelio Jorge Cardoso» con el cuento *«En el vórtice».* Su libro de narraciones *Nostalgia de septiembre* apareció en 1994.

«El brazo y el lienzo» fue publicado en la Revista Imagen Latinoamericana No. 100-101, enero-febrero de 1994, Caracas, Venezuela.

19.- **ROLANDO SÁNCHEZ MEJÍAS.** (Holguin, 1959).

Narrador y poeta. Publicó *Collage en azul adorable* (poemas, 1991) y *Cinco piezas narrativas* (cuento, 1993), con el cual obtuvo el Premio de la Crítica en ese mismo año. En 1993 publicó el libro de relatos *Escrituras*, el poemario *Derivas I* y el libro de cuentos *La noche profunda del mundo*.

«La noche del mundo» pertenece a su libro de cuentos *La noche profunda del mundo*, Editorial Letras Cubanas, La Habana, 1993.

20.- **ANGEL SANTIESTEBAN.** (La Habana, 1966).

Narrador. Obtuvo mención en el Premio Internacional de Cuento Juan Rulfo con el relato *«Sueño de una noche de verano».* En 1992 fue finalista en el Premio Casa de las Américas con su libro de cuentos *Sur: latitud 13*.

«Sur: latitud 13» fue publicado en la Revista Imagen Latinoamericana No. 100-101, enero-febrero de 1994, Caracas, Venezuela.

LIBURU ARGITARATUAK

LITERATURA

N° 1 **Viento del Norte**
Iosu Perales, 222 págs.

N° 2 **Queremos tanto a Julio**
B. Atxaga, S. Ramírez, E. Galeano, J. Gelman, M. Benedetti, A. Monterroso, T. Borge, E. Nepomuceno, C. Alegría y D. J. Flakoll, M. Barnet, M. Randall, G. Vargas, P. Délano, C. Rincón, A. Skarmeta, S. Rovinski, J. Amado, J. Labastida, L. Cardoza y Aragón, J. Rulfo, 146 págs.

N° 3 **Moscú mi amor**
Doris Gercke, 147 págs.

N° 4 **Bodas de cenizas**
Milagros Palma, 262 págs.

N° 5 **La Isla contada**
El cuento contemporáneo en Cuba
F. López-Sacha (comp.), Senel Paz, J. Díaz, M. Mejides, E. Heras León, M.E. Llana, R. Montero, A. Prieto, L.M. García, A. Bahr, F.L. Viera, A. Arango, M. Yáñez, L. Padura, G. Vidal, A. Estévez, M. Collazo, M. Bobes, A. Garrido, R. Sánchez Mejías, A. Santiesteban, M. Vázquez Montalbán (prólogo), 201 págs.

COEDICIÓN

Masacres de la selva
Ricardo Falla, 244 págs.